David (Paul) Younggi Cho

Viva na quarta DIMENSÃO

EM UM MUNDO DE TERCEIRA DIMENSÃO

Vida

EDITORA VIDA
Rua Conde de Sarzedas, 246 — Liberdade
CEP 01512-070 — São Paulo, SP
Tel.: 0 xx 11 2618 7000
atendimento@editoravida.com.br
www.editoravida.com.br
@editora_vida /editoravida

Editor responsável: Marcelo Smargiasse
Editor-assistente: Gisele Romão da Cruz
Tradução: Tatiane Souza
Revisão de tradução: Rosa Ferreira
Revisão de provas: Josemar de Souza Pinto
Projeto gráfico e diagramação: Jônatas Jacob
Capa: Arte Peniel

VIVA NA QUARTA DIMENSÃO
© 2007, by David Yonggi Cho
Originalmente publicado nos EUA com o título
The Spirituality of Fourth Dimension
edição publicada por
INSTITUTE FOR CHURCH GROWTH

∎

*Todos os direitos em língua portuguesa
reservados por Editora Vida.*

PROIBIDA A REPRODUÇÃO POR QUAISQUER MEIOS,
SALVO EM BREVES CITAÇÕES, COM INDICAÇÃO DA FONTE.

∎

Scripture quotations taken from Bíblia Sagrada,
Nova Versão Internacional, NVI ®
Copyright © 1993, 2000 by International Bible Society ®.
Used by permission IBS-STL U.S. All rights
reserved worldwide.
Edição publicada por Editora Vida,
salvo indicação em contrário.

Todas as citações bíblicas e de terceiros foram adaptadas
segundo o Acordo Ortográfico da Língua Portuguesa,
assinado em 1990, em vigor desde janeiro de 2009.

1. edição: 2008	*7. reimp.*: jun. 2017
1. reimp.: maio 2009	*8. reimp.*: jun. 2019
2. reimp.: jul. 2011	*9. reimp.*: jul. 2021
3. reimp.: jul. 2012 (Acordo Ortográfico)	*10. reimp.*: jan. 2022
4. reimp.: dez. 2013	*11. reimp.*: out. 2023
5. reimp.: set. 2015	*12. reimp.*: ago. 2024
6. reimp.: jul. 2016	

**Dados Internacionais de Catalogação na Publicação (CIP)
(Câmara Brasileira do Livro, SP, Brasil)**

Cho, Yonggi, 1936- .
  Viva na quarta dimensão: em um mundo de terceira dimensão / David
Yonggi Cho, tradução Tatiane Souza. — São Paulo: Editora Vida, 2008.

  Título original: The Spirituality of Fourth Dimension
  Bibliografia
  ISBN 978-85-383-0067-0

  1. Cho, David Yonggi 2. Fé 3. Quarta dimensão 4. Vida cristã —
Escritores pentecostais I. Título.

08-05078   CDD-248.48994

Índice para catálogo sistemático:
1. Quarta dimensão : Vida espiritual : Guias : Cristianismo 248.48994

SUMÁRIO

Prefácio à edição brasileira		7
Prefácio		11

PARTE 1
CONVITE À QUARTA DIMENSÃO

Capítulo 1 –	A vida da terceira dimensão, a espiritualidade da quarta dimensão	15
Capítulo 2 –	Os quatro elementos da espiritualidade da quarta dimensão	27

PARTE 2
TRANSFORME A QUARTA DIMENSÃO QUE EXISTE EM VOCÊ

Capítulo 3 –	Mentalidade	43
Capítulo 4 –	Fé	71
Capítulo 5 –	Sonhos	93
Capítulo 6 –	Palavra	127

Epílogo	147

PREFÁCIO À EDIÇÃO BRASILEIRA

"Aqui onde estamos é a sala", dizia um dos membros de minha igreja enquanto me mostrava sua casa. "Deste lado está o corredor que leva para os quartos", continuava me explicando. Tudo isso não teria nada de estranho, a não ser pelo fato de estarmos em campo aberto, sob o sol, e, porque tal casa não existia, estava somente nos sonhos do irmão.

Qualquer um que nos observasse facilmente chegaria a duvidar de nossa saúde mental. Caminhávamos por aquela terra desolada respeitando corredores inexistentes, abrindo portas imaginárias e observando quartos fictícios.

Era o ano de 1982, e o livro do pastor Cho havia chegado recentemente a meu país, El Salvador. Meu ministério apenas começava, e, ao lê-lo, enchi-me de tanto entusiasmo que não hesitei em compartilhar com meus poucos membros da época os princípios da quarta dimensão.

Aquele irmão que começara a visualizar e a sonhar com uma casa para sua família não tinha dinheiro nem emprego; para completar, a guerra civil em meu país estourara um ano antes e se estenderia por mais dez anos.

Entretanto, de maneira miraculosa, como costuma acontecer quando se vive na quarta dimensão, aquela casa começou a surgir desde seus fundamentos. Depois, as paredes passaram a se elevar, ganhando altura. A seguir, chegou o teto, até que finalmente aquele irmão me convidou para o culto de ação de graças de inauguração da casa com a qual sonhara e pela qual orara.

Creio que esse foi o primeiro dos resultados que pude constatar de maneira pessoal e próxima do que acontece quando colocamos em prática os princípios da quarta dimensão. Depois disso, eu gostava de levar outros irmãos à frente da casa e dizer-lhes: "Está vendo essa casa? É o resultado de ter visões e sonhos". Invariavelmente, eles ficavam intrigados e me pediam que lhes explicasse mais sobre o assunto. Isso me abria a oportunidade de lhes falar sobre a quarta dimensão e recomendar-lhes a leitura deste livro.

Há várias décadas, o dr. David Yonggi Cho é reconhecido no meio cristão como o pastor da maior igreja do mundo. Com seus mais de 750 mil membros na igreja de Yoido, em Seul, Coreia do Sul, não existe outra igreja documentada que possua tal quantidade de membros.

Obviamente, um milagre de nosso tempo como é essa igreja tão numerosa não poderia deixar de chamar a atenção do mundo evangélico. Uma interminável peregrinação de cristãos, iniciada há várias décadas, continua chegando à ilha de Yoido com o propósito de conhecer as razões que tornam possível o crescimento dessa igreja.

Sem qualquer sombra de egoísmo, o pastor Cho tem se dedicado a compartilhar pacientemente os princípios que tornaram possível tal congregação, ao mesmo tempo que estimula os ministros de qualquer origem a obter os mesmos resultados em seu próprio país e em sua própria igreja.

Depois de todas essas décadas de ensino, o mundo cristão acabou compreendendo que uma das chaves para o crescimento é o modelo do Novo Testamento da igreja, baseado em reuniões de pequenos grupos nas casas e, depois, no prédio da igreja. De fato, o pastor Cho é conhecido como "o pai do movimento de células moderno". Não há dúvida de que seu principal legado à igreja e à humanidade será ter redescoberto a natureza da igreja em nosso tempo.

Todavia, afirmar que o crescimento da igreja do pastor Cho foi o resultado de aplicar o modelo das pequenas reuniões em casas seria faltar com a verdade. Ao trabalho das células, somam-se outros elementos igualmente importantes. É a esses outros princípios que as pessoas não dão igual atenção.

A maior parte das pessoas que visitam a Coreia se entusiasma com o modelo de células e volta a seu país ansiosa por colocar em prática o que aprendeu, somente para dar conta depois de um tempo que os resultados não são o que esperava. Ou que, no mínimo, não aparecem com a rapidez que imaginara.

Nos últimos anos, estive presente em cada uma das conferências sobre crescimento da igreja que o pastor Cho ministrou dentro e fora da Coreia. Sempre notei que, mesmo o pastor Cho insistindo o tempo todo no assunto da quarta dimensão, muito poucas pessoas concebem a importância do tema e como ele é vital para alcançar o tão desejado crescimento.

A maior parte das pessoas vê a questão da quarta dimensão como uma experiência muito própria do pastor Cho. Acha graça e se emociona ao escutar as anedotas que ele utiliza para ilustrar suas exposições. Mas fica longe de pôr em prática tais ensinamentos.

Provavelmente, uma das razões para que as pessoas não incorporem os princípios da quarta dimensão à sua própria experiência é que eles lhes parecem estranhos ou confusos.

A maior qualidade do livro *Viva na quarta dimensão* é que ele apresenta de maneira sistemática e concisa os ensinamentos do pastor Cho sobre o assunto. Passo a passo, o autor nos leva aos princípios que por décadas tem ensinado e ilustrado em seus inumeráveis livros, pregações e conferências. Desde a definição elementar de o que são as quatro dimensões até as aplicações práticas de tais elementos, o livro não deixa de mencionar nada que seja útil. Temos aqui em um só volume tudo o que se deve saber sobre como viver dentro do mundo da quarta dimensão.

Em nosso caso particular, temos colocado em prática os ensinamentos do pastor Cho sobre o valor de visões e sonhos, fé e oração. O resultado foi que nossos planos e metas foram todos alcançados, não somente no que se refere ao crescimento da igreja, mas também na conquista de outras metas que não têm precedente na história do cristianismo em meu país. Desde aquela casa que da imaginação passou ao mundo real até nossos grandes projetos de rádio que cobrem o país, um canal de televisão que transmite para todo o país e, por meio de dois satélites, cobre desde o Alasca até a Terra do Fogo, uma igreja que ultrapassa 100 mil membros e que continua crescendo; tudo é resultado de viver na quarta dimensão.

Não me canso de dizer que tudo o que o Senhor em sua misericórdia nos permitiu alcançar é o resultado em grande medida dos ensinamentos do pastor Cho. Eu o encorajo e desafio, com base nas normas apresentadas neste livro, a dar o passo para viver na quarta dimensão. Um novo mundo de experiências com Deus espera por você.

MARIO VEGA

Pastor da Igreja Elim em El Salvador, na América Central, com mais de 100 mil membros, considerada por vários eruditos a segunda igreja mais numerosa do mundo.

Membro honorário da Junta Diretiva do Church Growth International, do pastor Cho, na Coreia do Sul, membro da Junta Diretiva do Joel Comiskey's Group e membro da Cell Church Missionary Network, do pastor Ben Wong, na China.

PREFÁCIO

Nossa vida tem limitações, já que pertence ao plano tridimensional, o qual está limitado ao tempo e ao espaço. No entanto, existe outra dimensão. A Bíblia ensina: aquilo que se vê não foi feito do que é visível (cf. Hebreus 11.3). Da perspectiva religiosa, a quarta dimensão é simplesmente a dimensão espiritual. Sendo o homem um ser espiritual, pertence tanto ao plano tridimensional quanto ao plano tetradimensional. Entretanto, o Diabo tem se infiltrado em cada indivíduo, família e sociedade, criando uma desordem e um caos.

Há vinte e cinco anos, foi descoberto o segredo da quarta dimensão. A força motriz de meus quarenta e sete anos de ministério apresentada em *Viva na quarta dimensão* não foi resultado de um estudo pessoal ou o aprendizado de um erudito, mas, sim, um segredo que me foi revelado por meio de profunda comunhão com o Espírito Santo. É meu desejo que você tome conhecimento desse segredo.

É nossa responsabilidade incubar as circunstâncias por meio da espiritualidade da quarta dimensão, o que gera uma transformação. Aquele que consegue transformar o plano tetradimensional conseguirá dominar o plano tridimensional. A pergunta que nos surge é: Sendo assim, como podemos mover a quarta dimensão? Existem quatro elementos: mentalidade, fé, sonhos e palavra. Esses são os quatro fatores que movem o plano tetradimensional. Sua vida será transformada à medida que aplicar esses quatro elementos.

Viva na quarta dimensão,[a] publicado originariamente pelo Instituto de Iglecrecimiento sob o título *A espiritualidade da quarta dimensão*, foi lançado visando à aplicação prática, tanto individualmente quanto em grupo, dos quatro elementos-chave para mover-se na quarta dimensão. Além disso, este livro possui um guia prático que o ajudará a desenvolver a espiritualidade da quarta dimensão.

Minha oração é que cada leitor que deseje profundamente uma vida plena receba inspiração e motivação novas quanto a viver a espiritualidade da quarta dimensão. Que Deus derrame sobre cada leitor a grandeza de seu amor e suas bênçãos.

David Yonggi Cho

---

[a] Publicado originariamente sob o título *A espiritualidade da quarta dimensão* pelo Instituto de Iglecrecimiento da Fundação Kairós. Visite http://www.kairos.org. ar/articuloderevistaiym.php?ID=1717. [N. do T.]

PARTE 1

CONVITE À QUARTA DIMENSÃO

A VIDA DA TERCEIRA DIMENSÃO, A ESPIRITUALIDADE DA QUARTA DIMENSÃO

Ora, a fé é a certeza daquilo que esperamos e a prova das coisas que não vemos. Pois foi por meio dela que os antigos receberam bom testemunho. Pela fé entendemos que o universo foi formado pela palavra de Deus, de modo que aquilo que se vê não foi feito do que é visível. Pela fé Abel ofereceu a Deus um sacrifício superior ao de Caim. Pela fé ele foi reconhecido como justo, quando Deus aprovou as suas ofertas. Embora esteja morto, por meio da fé ainda fala (Hebreus 11.1-3).

Certa ocasião, tive o privilégio de ensinar sobre crescimento da igreja no renomado Instituto Teológico Fuller, nos EUA. Não somente os estudantes e os professores do instituto como também pastores de diferentes Estados fizeram um esforço enorme para assistir à minha aula. Encontrei-me com o dr. C. Peter Wagner, que me havia convidado para dar uma palestra em sua aula de crescimento da igreja, e ele disse algo que me chamou a atenção: Deus lhe havia concedido um dom especial para curar pernas mutiladas.

A princípio, duvidei do que me chegava aos ouvidos. De modo algum, via-se nele alguém que pudesse realizar esse tipo de milagre. De repente, o dr. Wagner me convidou para presenciar um milagre. Dois dias depois, visitei seu escritório pela manhã. Notei a presença de um iraquiano, o qual não possuía a parte inferior de uma das pernas, por causa de um acidente de trem que sofrera fazia pouco tempo. Também pude perceber que estavam em sua companhia a esposa do dr. Wagner e o pastor Kim Young Kil, junto com outros pastores. Depois de fazer uma oração, o dr. Wagner impôs a mão sobre o iraquiano e começou a clamar em alta voz:

— Em nome de Jesus de Nazaré, perna, estenda-se! Perna, estenda-se! Em nome de Jesus de Nazaré, perna, estenda-se!

O dr. Wagner não se deteve e clamou por mais cinco minutos. Contudo, nada aconteceu. Então, tratei de consolá-lo e disse:

— Talvez a perna vá crescendo gradualmente.

De repente, todos se uniram num coro de consolação. Mas o dr. Wagner não se deu por vencido e exortou o iraquiano a repetir em alta voz a seguinte oração:

— Creio em um Deus vivo. Creio em Jesus como meu Senhor. Creio que Jesus irá me curar.

Depois da oração, fez o homem sentar-se novamente.

Esse episódio me fez sentir um pouco incomodado, por isso comecei a orar.

— Deus, perdoa minha pouca fé. Pai, se a cura da perna for importante, não permita que o dr. Wagner tenha impedimento.

Outra vez, o dr. Wagner impôs a mão sobre a perna e clamou em voz alta.

— Ordeno em nome de Jesus de Nazaré, perna, estenda-se! Em nome de Jesus de Nazaré, estenda-se!

Repentinamente, algo inacreditável começou a se manifestar. Fiquei tão perplexo que quase caí no chão. Observei como a perna crescia em questão de meio minuto.

Esse milagre causou um grande impacto em minha vida. Jamais pudera imaginar que Deus estivesse tão perto de nós. O milagre não acontecera em uma igreja, nem em uma reunião de oração, tampouco em um culto de avivamento; tratava-se do escritório de um professor de teologia, que com fé havia dito: "Perna, estenda-se!". O iraquiano, emocionado, começou a caminhar de um lado para o outro dentro da secretaria. Não mancava, mas, sim, caminhava equilibradamente.

Como é grande a graça de nosso Deus! Não, Deus não estava a milhões de quilômetros; estava junto de nós, falava por meio da confissão de nossa boca. Assim como Jesus Cristo realizou todo tipo de milagres na terra da Judeia há dois mil anos, Deus realiza hoje milagres por meio de nós. Quando me encontrava meditando sobre essas coisas, o dr. Wagner se aproximou de mim e disse:

— Este milagre de curas se deve a você.

Um pouco surpreso, perguntei o que significava essa afirmação. Então, o dr. Wagner explicou:

— Li seu livro *A quarta dimensão*. Ele explica que, para obter um milagre, alguém deve sonhar e clamar em forma de uma ordem. Por essa mesma razão, cri que aconteceria e dei a ordem em nome de Jesus. E meu sonho se tornou realidade.

Ele experimentava uma vida cheia de graça e bênção por meio de uma grande fé, algo que nem sequer eu, que escrevi o livro, havia experimentado. Foi como uma grande paulada em minha cabeça. Isso me fez pensar quanto Deus está próximo de nós e quantos grandes milagres a fé pode produzir.

Há vinte e cinco anos, escrevi sobre *O segredo da quarta dimensão*. Para dizer a verdade, o conceito da quarta dimensão não é resultado de meu próprio estudo nem do aprendizado de um erudito, mas da profunda comunhão com o Espírito Santo. Nos últimos tempos, Deus me revelou essas verdades diariamente, por mais de uma hora. Ouvi a voz de Deus por mais de uma hora em meu lugar secreto de oração. Foi uma revelação muito emocionante que comoveu o mais profundo de meu espírito. Escrevi este livro com o desejo de fazer que tais verdades sejam conhecidas de meus leitores.

A Bíblia ensina: aquilo que se vê não foi feito do que é visível. A realidade da terceira dimensão não é produto da evolução. A teoria de Darwin sustenta que o mundo da terceira dimensão tem evoluído e ainda se encontra nesse processo. A Bíblia declara que o mundo da terceira dimensão não é produto da evolução, mas, sim, resultado da quarta dimensão, uma dimensão superior que transforma e move o plano tridimensional. Portanto, o que se vê foi feito do que não é visível. A teoria da evolução de Darwin, ao contrário, advoga que o que não é visível foi feito do que se vê. Isso explica que nosso mundo sensorial da terceira dimensão não é resultado do autodesenvolvimento e da autoevolução. E Deus continuou com o ensino.

O SEGREDO DO MUNDO INVISÍVEL DA QUARTA DIMENSÃO

Certo dia, em um momento de oração, o Espírito Santo comoveu fortemente meu coração, e ouvi uma voz que me dizia:

— Pastor Cho, o que é a primeira dimensão?

— Bem. A primeira dimensão é uma linha que une dois pontos separados.

Deus me falou quase instantaneamente. Senti que Deus sorria ao fazer a seguinte correção.

— Você está enganado.

— Como assim? Quer dizer que a primeira dimensão não se refere a uma linha?

— Certamente que sim. A primeira dimensão é uma linha que une dois pontos separados; mas ela não deve ter densidade nem largura. Como a primeira dimensão é uma linha que necessita de densidade e largura, trata-se, portanto, de uma linha imaginária.

— Agora entendo, Senhor.

Se traçarmos uma linha com um lápis, a densidade dessa linha será marcada segundo a largura da ponta do lápis. Numa abordagem teórica, isso significa que essa linha deixa de ser unidimensional. E, por causa de sua densidade, ela passa a ser uma linha bidimensional. A linha torna-se um plano longo. Para simplificar, a primeira dimensão é uma linha que necessita de densidade e plano. Sendo assim, o conceito da linha unidimensional é o de uma linha imaginária. Consequentemente, a primeira dimensão, ao manifestar-se, está destinada a se subordinar à segunda dimensão. Da perspectiva da primeira dimensão, o plano unidimensional inclui e envolve o plano bidimensional a partir de um princípio.

O mesmo ocorre com a segunda e a terceira dimensões. A segunda dimensão é um plano. Mas um plano bidimensional é, na realidade, um corpo tridimensional, visto que ele tem densidade, ainda que se trate de uma linha unidimensional, o que só é possível verificar por microscópio. O plano bidimensional é, na realidade, um plano imaginário, porque, teoricamente, a segunda dimensão trata-se de um plano que necessita de densidade. É dessa forma que a segunda dimensão está subordinada à terceira dimensão. Da perspectiva da segunda dimensão, ela mesma envolve a terceira dimensão.

A terceira dimensão é um corpo tridimensional. No entanto, um corpo tridimensional deixa de ser estritamente de caráter tridimensional porque o corpo tem espaço. Portanto, o corpo tridimensional é um corpo imaginário. A terceira dimensão está subordinada à quarta dimensão, mas ao mesmo tempo envolve o conceito de tempo e espaço, que pertencem à quarta dimensão. Em outras palavras, a terceira dimensão inclui a quarta dimensão.

A terceira dimensão é um corpo que possui tempo e espaço, que por sua vez pertencem à infinitude. Ou seja, o espaço pertence ao finito, mas contém a infinitude. O mesmo acontece com o tempo. O tempo pertence ao eterno, mas contém a eternidade. Ou melhor, o espaço contém o infinito, e o tempo contém o eterno. Em suma, a quarta dimensão é a dimensão de tempo e espaço na qual o conceito de tempo é agregado ao espaço tridimensional; em outras palavras, é a dimensão espiritual que suplanta a dimensão sensorial.

Deus é Senhor da infinitude e da eternidade. Deus é infinito e eterno. O Espírito Santo falou a meu coração e iluminou esse conceito muito claramente.

— Não sou alguém que se encontra a um milhão de quilômetros. Você pensa que não sou capaz de entender o que fala em segredo e que não conheço o seu deitar e o seu levantar. Engano. Sou alguém que está mais próximo que seu próprio coração.

O homem é um ser tridimensional, mas, como constatamos, do mesmo modo em que o corpo tridimensional está destinado a submeter-se à esfera tetradimensional, o homem torna-se um ser que pertence e está subordinado à quarta dimensão. O espaço já está introduzido em nós em forma de infinitude, e o tempo, em forma de eternidade. Esse princípio é aplicável a todos, independentemente de suas crenças. O homem tridimensional foi criado para estar sob o governo da infinitude e da eternidade. O que significa que estamos debaixo da soberania de Deus a todo momento e em todo lugar. Isso é uma evidência que nos permite reconhecer a pessoa de Deus. A dimensão maior envolve e subjuga a dimensão menor. Isso é uma teoria cientificamente comprovada. A primeira dimensão pertence à segunda dimensão, assim como a segunda, à terceira, e a terceira, à quarta dimensão. É por essa razão que o Deus infinito e eterno subjuga todo o universo da terceira dimensão.

O MUNDO DA TERCEIRA DIMENSÃO CRIADO PELO DEUS DA QUARTA DIMENSÃO

A Bíblia declara que Deus está em tudo e acima de tudo. Se relacionarmos essa afirmação com a teoria física das dimensões, podemos afirmar que a quarta dimensão pertence à terceira dimensão e a supera; ao passo que a terceira dimensão pertence à segunda dimensão e a supera; e a segunda dimensão pertence à primeira dimensão e a supera. A quarta dimensão pertence ao tempo e espaço, mas ao mesmo tempo os supera.

A quarta dimensão é a dimensão espiritual. O livro de Gênesis narra que a Terra estava sem forma e vazia e que as trevas cobriam a face do abismo. Portanto, o mundo criado por Deus pertence à terceira dimensão. E o Espírito Santo incubou a Terra assim como a galinha choca os ovos. O Espírito Santo é a presença do Deus infinito e eterno. Milagres extraordinários acontecem no mundo da terceira dimensão quando o Espírito Santo se move.

"Disse Deus: 'Haja luz', e houve luz" (Gênesis 1.3).

Note que não se tratou de uma transformação, mas de uma criação. Ou seja, Deus criou a luz do nada. E continuou dizendo: "Haja entre as águas um firmamento que separe águas de águas" (Gênesis 1.6).

Foram separadas as águas que estavam debaixo do firmamento das que estavam sobre o firmamento, e Deus chamou ao firmamento céu. Novamente Deus criou o firmamento do nada. Ou seja, o mundo da terceira dimensão não foi resultado de uma evolução, e, sim, da incubação e criação do Espírito Santo.

A quarta dimensão é a dimensão espiritual. O homem é um ser que se encontra na terceira dimensão, todavia também pertence à quarta dimensão; isso porque ele possui espírito. O espírito do homem não se compara ao Espírito de Deus. O homem conhece a infinitude e a eternidade porque foi criado à imagem e semelhança de Deus. O corpo do homem voltará ao pó; em contrapartida, seu espírito viverá pela eternidade, seja no Reino de Deus, seja no inferno.

Da perspectiva do conceito da quarta dimensão, o homem é um ser eterno. O espírito do homem domina o corpo tridimensional. Um espírito débil produz um corpo enfermo, ao passo que um espírito forte produz um corpo vigoroso.

O espírito não está em uma parte específica do corpo; antes, se encontra plenamente em todo o corpo. Isso se deve ao fato de a quarta dimensão, além de incluir, também se encontra na terceira dimensão. O espírito do homem se encontra em todo o corpo, mas supera a terceira dimensão; consequentemente, não é dominado pelo corpo tridimensional.

O apóstolo João recebeu a revelação quando estava fisicamente na ilha de Patmos, mas seu espírito também foi elevado ao céu, e ele viu toda a glória do céu. Essa é a revelação dada a João e que o fez escrever o livro de Apocalipse. Os animais não podem transpor a dimensão física, tampouco possuem a capacidade de pensar e falar, porque não têm espírito.

Isso não é maravilhoso? Nosso espírito pertence à quarta dimensão, encontra-se no plano tridimensional, mas ao mesmo tempo o transpõe. Nosso espírito não está atrelado à morte física da terceira dimensão. No momento da morte, ele se apartará do corpo e se encontrará com o Senhor Jesus Cristo.

A QUARTA DIMENSÃO DOMINA O MUNDO HUMANO DA TERCEIRA DIMENSÃO

Em Colossenses 1.13, encontramos: "... ele nos resgatou do domínio das trevas e nos transportou para o Reino do seu Filho amado". Isso significa que, no momento da salvação, fomos salvos da quarta dimensão do Diabo e transportados para a quarta dimensão santa de Deus e que ele nos livrou da potestade das trevas e nos transportou para o Reino de seu amado Filho.

Em outras palavras, Deus, o homem e o Diabo pertencem à quarta dimensão, mas o homem encontra-se no nível mais baixo, Satanás, no nível intermediário, e Deus, no mais elevado. O homem domina o mundo da terceira dimensão, e a quarta dimensão domina a terceira dimensão. O homem pode transformar a terceira dimensão por meio de novas invenções e descobertas, por se tratar de um ser espiritual.

Satanás também pertence à quarta dimensão. Por essa razão, busca dominar a terceira dimensão e o homem, o qual se acha em um plano inferior. Ele faz todo tipo de maldade por meio do homem neste mundo criado por Deus. A História traz relatos sobre ditadores e tiranos que levaram a humanidade à destruição.

Isso se deve ao fato de Satanás haver dominado o entendimento e o espírito desses líderes.

O alemão Hitler assassinou 6 milhões de judeus e levou toda a Europa à destruição. Ao perceber que se encontrava a um passo da derrota, terminou tirando a própria vida.

Algo similar aconteceu com o império japonês. O imperador, sob influência satânica, planejou conquistar todo o continente asiático, mas acabou destruindo a vida de milhares de pessoas. Não somente isso. O Diabo entrou na vida de Judas Iscariotes, discípulo de Jesus, fazendo-o entregar o Mestre por 30 moedas de prata. Se o homem deixar de submeter-se à soberania de Deus, estará destinado a pertencer à quarta dimensão do Diabo e ficará sob sua influência.

Aquele, porém, que recebe Jesus como seu Salvador é salvo da quarta dimensão do homem e do Diabo, por meio do sangue de Jesus Cristo, e transportado para a quarta dimensão espiritual de Deus. Aquele que foi salvo recebe a vida eterna por meio da quarta dimensão de Deus. E nosso espírito, nossa mente e nosso entendimento são cheios da plenitude da quarta dimensão de Deus.

MOVA A QUARTA DIMENSÃO ESPIRITUAL

O que devemos fazer, uma vez que fomos transportados à quarta dimensão santa de Deus por meio da fé em Jesus Cristo? Devemos pensar em como podemos mover a quarta dimensão espiritual e em como podemos alcançar resultados positivos.

A terceira dimensão transforma-se sob a influência da quarta dimensão. O espírito domina o físico e material. O que se vê foi feito do que não é visível. Todo aquele que foi salvo está sob o senhorio de Deus desde o momento em que recebe Jesus como seu Salvador. A terceira dimensão do crente está sob a influência do Espírito Santo, que habita no espírito do homem. É por esse motivo que jamais devemos deixar de estar sob a soberania de Deus, não podemos fazer nada sem ele.

Deus está em nós. No caso de colocarmos nossos olhos em uma revista ou em um filme de imoralidade sexual, temos de vê-los juntamente com Deus. No caso de furtarmos ou roubarmos algo, temos de fazê-lo juntamente com Deus. Deus tolerará essas coisas? Deus continuará vendo essas coisas? Definitivamente, a resposta é não.

Deus também se encontra na terceira dimensão e nos transmite sua infinitude e eternidade. Recebemos o poder para dominar a terceira dimensão por meio de Deus. O poder para dominar é o sonho. Não é o inteligente quem transforma o mundo da terceira dimensão, e, sim, o sonhador. Deus quer que sonhemos junto com ele e que o alcancemos, com a finalidade de obter toda a riqueza de sua bênção para, dessa forma, glorificar o Pai.

Encha seu pensamento, mente e atos da quarta dimensão de Deus, e experimentará algo que jamais viveu: uma nova vida.

CAPÍTULO 2

OS QUATRO ELEMENTOS DA ESPIRITUALIDADE DA QUARTA DIMENSÃO

Qual é o elemento que move a quarta dimensão? São necessários quatro elementos para transformar a quarta dimensão: mentalidade, fé, sonhos e palavra. Nossa vida será transformada à medida que compreendermos e aplicarmos corretamente esses fatores. A oração não é tudo. É necessária muita oração, mas devemos primeiramente transformar a quarta dimensão para conseguir mudanças na terceira dimensão.

A primeira dimensão pertence à segunda dimensão; ao passo que a segunda, à terceira; e a terceira, à quarta dimensão. Devemos transformar a segunda dimensão para alcançar mudanças na primeira dimensão e transformar a terceira para conseguir mudanças na segunda dimensão.

Isso significa que deve haver uma transformação na quarta dimensão para obter mudanças em nossa vida tridimensional. A transformação da quarta dimensão depende de nossa mentalidade, nossa fé, nossos sonhos e nossa palavra. Devemos primeiramente alcançar a mudança nesses quatro aspectos para obter a mudança em nossa vida. A pergunta que se faz necessária é: Sendo assim, qual é o método para alcançar tal transformação?

PRIMEIRO ELEMENTO: MENTALIDADE

Deus dotou o homem com o primeiro elemento chamado *mentalidade* para que este transformasse a quarta dimensão. A mentalidade é imensurável da perspectiva da terceira dimensão, é algo que somente se manifesta na quarta dimensão. A mentalidade não tem densidade nem largura; é invisível. Ela é infinita e eterna.

A imaginação do homem pertence à quarta dimensão. A transformação da mente é refletida na esfera da terceira dimensão. O que se vê foi feito do que é invisível. Uma pessoa que tenha um pensamento negativo estará destinada a enfrentar circunstâncias negativas. Imagine uma pessoa que pensa: "Não posso, não é possível, sou uma pessoa triste e infeliz". Esse tipo de pensamento se reflete no corpo, nas circunstâncias e no trabalho. Tanto o corpo do homem como todas as demais coisas é um reflexo da mentalidade, porque a mentalidade move a esfera da quarta dimensão.

Portanto, a pessoa que sempre pensa positivamente encara um mundo positivo na terceira dimensão. Seu modo de pensar vigoroso, forte e feliz reflete-se na terceira dimensão.

Por exemplo, se me determino a odiar uma pessoa e programo minha mente para menosprezá-la, isso influencia a terceira dimensão. A atitude de odiar uma pessoa acaba prejudicando a própria pessoa que nutre esse sentimento. Por essa razão, o Senhor Jesus disse: "Amem os seus inimigos" (Mateus 5.44).

Se observarmos esse ensinamento de uma perspectiva invertida, notaremos que sua finalidade é para nosso próprio bem, mais do que para o bem de nosso inimigo. Isso porque, se odiarmos nossos inimigos, a destruição chegará à nossa terceira dimensão. A Bíblia afirma: "Assim como a água reflete o rosto, o coração reflete quem nós somos" (Provérbios 27.19). Se desejamos a destruição de alguém, essa mensagem fica gravada em nossa terceira dimensão e causa nossa própria destruição. Perceba que, quando decide odiar alguém, o primeiro que sofre as consequências do pensamento negativo é você mesmo. Nossa mentalidade é muito importante. Aqueles que têm o péssimo hábito de se reunir em grupinhos para falar mal dos outros enfrentam circunstâncias negativas na terceira dimensão.

Há ocasiões em que nos sentimos mal física e emocionalmente depois de falar mal de alguém. Isso acontece porque as palavras são transmitidas em forma de uma ordem, que se manifesta na terceira dimensão.

A quarta dimensão não distingue o você do eu; antes, contém somente mensagens. O mecanismo da quarta dimensão funciona da seguinte forma: uma mensagem é gravada na mente, e isso se reflete na esfera mais próxima, que é o corpo e a vida cotidiana. Portanto, não existem segredos na quarta dimensão. No mundo da quarta dimensão e diante de Deus, nada é encoberto, tudo é visto claramente.

Se falhamos e, consequentemente, concebemos um pensamento errôneo, devemos ser curados com a Palavra do Antigo e do Novo Testamentos. A Palavra de Deus é uma Palavra que pertence à quarta dimensão espiritual. Jesus disse: "As palavras que eu lhes disse são espírito e vida" (João 6.63). A Palavra tem o poder de transformar a mentalidade das pessoas. A terceira dimensão será modificada quando a mentalidade for curada pela Palavra.

Estive no ministério por quarenta e sete anos, e nunca deixei de pensar no crescimento da Igreja. Sempre pensei que o crescimento da Igreja pode ser alcançado, que multidões virão e que o milagre acontecerá.

Esse pensamento positivo da quarta dimensão transmite uma mensagem positiva à terceira dimensão. Em minha vida pastoral, tudo aconteceu segundo minha fé. A Bíblia diz: "Que lhes seja feito segundo a fé que vocês têm!" (Mateus 9.29). Assim foi feito segundo minha fé, e testemunhei o resultado de minha fé. O que eu pensava foi feito na terceira dimensão. Os crentes devem mudar a mentalidade pela quarta dimensão da Palavra de Deus. Assim acontecerá o extraordinário milagre de Deus.

SEGUNDO ELEMENTO: FÉ

O segundo elemento que transforma a quarta dimensão é a fé. A fé é um elemento poderoso que transforma a terceira dimensão por meio da quarta dimensão. A Bíblia afirma: "Como você creu, assim lhe acontecerá!" (Mateus 8.13); "Tudo é possível àquele que crê" (Marcos 9.23).

O Senhor Jesus disse:

> Eu lhes asseguro que se alguém disser a este monte: "Levante-se e atire-se no mar", e não duvidar em seu coração, mas crer que acontecerá o que diz, assim lhe será feito (Marcos 11.23).

Isso acontece porque a fé pertence à quarta dimensão, ao passo que o monte pertence à terceira. A terceira dimensão não é capaz de realizar algo por si mesma, por mais elevada que seja. É a quarta dimensão que deve ser movida para que a terceira seja transformada. Jesus realizou todo tipo de milagres na terceira dimensão por meio da fé da quarta dimensão.

De onde provém a fé? A Bíblia ensina: "A fé vem por se ouvir a mensagem, e a mensagem é ouvida mediante a palavra de Cristo" (Romanos 10.17). O incrédulo também possui convicção. A convicção é parte da fé. Contudo, a convicção não passa de uma fé tridimensional.

Os animais não têm fé porque não possuem espírito. Somente o homem pode ter fé, por tratar-se de um ser espiritual. Podemos mover a esfera da terceira dimensão quando a fé é dada pelo Espírito Santo. A fé não é uma alternativa. A fé é absoluta. Devemos procurar viver em fé e confessá-la.

Em minha vida pessoal, estou constantemente programando minha mente, mesmo quando estou sentado ou viajando num carro. Creio que Jesus me salvou, creio no sangue do Cordeiro e que fui perdoado. Creio no Espírito Santo que me santifica. Creio na cura divina, na bênção, na ressurreição, creio no Reino dos céus. Creio que sou uma nação santa. Constantemente me vejo programando minha fé. Recomendo a você que faça o mesmo. Estou convencido de que sua vida será transformada segundo a forma em que programe sua fé.

TERCEIRO ELEMENTO: SONHOS

Outro elemento para programar a quarta dimensão são os sonhos. Deus disse que onde não há visão, o povo perece. Se falhamos em programar nossa quarta dimensão com os sonhos, jamais conseguiremos ter esperança no mundo tridimensional. Os sonhos são um forte elemento que até os incrédulos que conseguem mover o mundo utilizam. Quanto mais forte será o sonho concebido em Deus, que move o mundo dos sonhos! Se tão-somente concebêssemos os sonhos de Deus, conseguiríamos não apenas mover o mundo, mas também todas as coisas. Existe uma coisa importante que quero destacar: os sonhos que provêm de Deus se diferenciam dos desejos e ambições pessoais, porque estes estão sob influência demoníaca. Devemos ter consciência de que o sonho de Deus é totalmente diferente.

Napoleão tinha o sonho de unificar todo o continente europeu. Como consequência, deixou toda a Europa de cabeça para baixo. Hitler tinha o sonho de conquistar toda a Europa com os arianos. Mais que um sonho, tratava-se de uma ambição que implicava a morte de milhares de pessoas e acabou destruindo toda a Europa. Lenin tinha o sonho de conquistar o mundo pelo regime comunista: terminou conquistando toda a Europa Oriental e causando um grande conflito entre todas as nações do mundo, incluindo a África e a Ásia.

Um sonho forte prevalece sobre um sonho débil. O sonho do Diabo é mais poderoso que o sonho do homem, mas o sonho de Deus é muito mais poderoso que o sonho do Diabo. Devemos conceber o sonho que provém do Espírito Santo, pois é o Espírito de Deus que faz conceber os sonhos divinos, e é nosso dever programar a mente com os santos sonhos de Deus.

O futuro de uma pessoa depende de seu sonho. Existe uma razão fundamental pela qual não deixo de proclamar o Evangelho Quíntuplo e a Bênção Tripla. Essa mensagem nos faz conceber sonhos por meio da cruz e semear a semente do sonho de que prosperaremos em todas as coisas, de que teremos saúde, assim como prospera nossa alma.

Os sonhos transpassam as barreiras das circunstâncias adversas, conquistam-nas e as transformam. Os sonhos da quarta dimensão transformam o mundo da terceira dimensão. Apesar do caos e do vazio pessoal, se conseguirmos conceber sonhos sadios, eles mudarão as circunstâncias, e a morte se transformará em vida, o caos, em ordem, a escuridão, em luz, a pobreza, em riqueza, a miséria, em fartura. A transformação tem origem primeiramente na quarta dimensão.

Estamos habituados a orar fervorosamente para realizar nossos sonhos. Mas devemos de antemão programar nossos sonhos para mover a quarta dimensão. Especifique seus sonhos na oração e no jejum, o que significa determinar a quarta dimensão. O jejum em si não muda a vontade de Deus, mas transforma nosso eu; e isso causa uma transformação notória na esfera da quarta dimensão, o que se torna uma base para Deus começar a trabalhar nela. Em outras palavras, devemos mudar nosso vaso da quarta dimensão para que Deus possa agir. Ore e jejue de todo o coração e verá que seu sonho deixou de ser um sonho e passou a ser uma realidade concreta.

QUARTO ELEMENTO: PALAVRA

O quarto elemento da quarta dimensão é a palavra. Podemos, por meio da palavra, expressar as características peculiares da quarta dimensão. O homem pode criar e desenvolver civilizações em razão de sua capacidade de falar. Os animais, por mais fortes que sejam, não conseguem criar nem desenvolver civilizações por não possuírem a habilidade linguística.

A Bíblia afirma: "Está prisioneiro do que falou" (Provérbios 6.2) e "A língua tem poder sobre a vida e sobre a morte; os que gostam de usá-la comerão do seu fruto" (Provérbios 18.21). A morte e a vida pertencem à terceira dimensão, ao passo que a língua pertence à quarta dimensão. Isso indica quanto a língua é poderosa. Uma das qualidades das pessoas de sucesso é que são prudentes quanto ao uso de sua linguagem. A linguagem demonstra o estado ou a condição da terceira dimensão. As pessoas bem-sucedidas falam como se estivessem alcançando o sucesso que almejam.

Em contrapartida, os que fracassam falam de fracasso antes mesmo de ele bater à sua porta.

A Bíblia ensina que devemos confessar nossa salvação com a boca. Devemos permitir que nossos ouvidos e nossa mente escutem as palavras que saem de nossa boca. Temos de confessar que fomos salvos, curados e abençoados. Não podemos esperar sucesso na terceira dimensão física se confessamos fracasso na quarta dimensão espiritual.

O versículo que diz: "O que você ligar na terra terá sido ligado nos céus, e o que você desligar na terra terá sido desligado nos céus" (Mateus 16.19) se relaciona com a confissão da palavra. As palavras negativas programam mensagens negativas na esfera da quarta dimensão. Aquele que critica e maldiz seu próximo deve saber que essa mesma mensagem que foi programada na quarta dimensão voltará para ele em forma de maldição na terceira dimensão. Percebemos então que as palavras são essencialmente importantes.

Como podemos mudar nossa linguagem? Deus nos deu sua Palavra para que por meio dela sejamos transformados. A Palavra de Deus é espírito e vida. Memorizar e confessar a Palavra é programar mensagens positivas na quarta dimensão. As mensagens proclamadas nos púlpitos pelos pastores são uma arma poderosa que move a quarta dimensão das pessoas. É por isso que aqueles que obedecem e vivem de acordo com a Palavra de Deus experimentam uma miraculosa transformação em sua vida. Converta-se em um protagonista da História. Nunca é tarde demais.

COMO SE ENCONTRA SUA QUARTA DIMENSÃO?

O Diabo tem se infiltrado em todas as áreas da sociedade, criando um caos e um vazio enorme. Qual é nossa tarefa diante dessa realidade? Devemos incubar as circunstâncias com os quatro elementos da quarta dimensão, que são: mentalidade, fé, sonhos e palavra. Dessa maneira, conseguiremos transformar a terceira dimensão. Temos de examinar o que pensamos, cremos, sonhamos e falamos e nos conscientizar de que esses quatro fatores pertencem à quarta dimensão, que move a terceira dimensão física e material.

Se quisermos alcançar o sucesso em nossa vida, nos negócios e no ministério, devemos examinar quais das quatro áreas da quarta dimensão necessitamos modificar. Uma vez que a área foi especificada, devemos suprir o necessário por meio do poder da Palavra e do Espírito Santo e da força transformadora da oração, para que a mudança produzida na quarta dimensão se manifeste em nossa vida tridimensional física.

Há muitos anos, Deus me revelou essa verdade, e escrevi o livro *A quarta dimensão*. A primeira edição foi escrita em inglês, e a vida de muita gente dos EUA, América Latina, Europa e África foi transformada.

Já este novo livro intitulado *Viva na quarta dimensão* foi editado para que o leitor pudesse entender mais facilmente o conceito da quarta dimensão e pudesse aplicá-lo em sua vida cotidiana. Não sou um *expert* em geometria nem conheço os diferentes conceitos da matemática. No entanto, Deus me revelou a verdade da quarta dimensão, e pude entender que a primeira dimensão é uma linha imaginária que está subordinada à segunda dimensão; ao passo que a segunda dimensão está submetida à terceira dimensão; e a terceira, à quarta. O homem está destinado, quer queira quer não, a se submeter a Deus, que governa a quarta dimensão espiritual. É por isso que devemos caminhar junto a Deus em todos os nossos empreendimentos.

Há cristãos que acreditam estar separados de Deus, mas esse pensamento é absurdo. Se conhecemos essa verdade, devemos crer também que Deus não deixará cair por terra nenhuma semente de nossas orações. Aqueles que foram salvos são subjugados diretamente pelo Espírito Santo, e é no Espírito Santo que encontramos o evangelho e a bênção de Cristo Jesus. Aquele que conhece, crê, sonha e confessa essas coisas não pode deixar de ser próspero, porque Deus prometeu isso.

No entanto, há pessoas que não alcançam a prosperidade, e isso acontece por falharem em programar a quarta dimensão. Devemos fazer do ato de pensar, crer, sonhar e falar na quarta dimensão um hábito, para que o milagre aconteça.

O mesmo se dá com a oração. O poder da oração se manifesta quando programamos corretamente a quarta dimensão. A oração é como instalar um novo programa na quarta dimensão. Deus age segundo nossa fé quando programamos nossa quarta dimensão e oramos por isso. A Bíblia não diz: segundo a fé de Deus, mas, sim, enfatiza: segundo a fé do crente, segundo sua mentalidade, segundo seus sonhos, segundo sua palavra.

Isso significa que somos nós que devemos programar a quarta dimensão para que Deus aja. É por essa razão que um trecho do Pai-nosso diz: "Seja feita a tua vontade, assim na terra como no céu [...]. E não nos deixes cair em tentação, mas livra-nos do mal" (Mateus 6.10,13).

Deus disse a Adão que subjugasse e dominasse a Terra, o que implicava programar a quarta dimensão. Salmos 81.10 diz: "Abra a sua boca, e eu o alimentarei". Aqui boca envolve a quarta dimensão. Ou seja, Deus nos ajuda quando programamos nossa quarta dimensão.

Nossa vida será transformada à medida que conheçamos e apliquemos a espiritualidade da quarta dimensão. Em vez de criticar e maldizer os outros, comece a dizer em grupo qual é o plano para programar sua quarta dimensão.

Não podemos ocultar nada de Deus, e estamos descobertos ante o Deus da quarta dimensão. Podemos ser abençoados se tão somente conseguirmos programar com êxito nossa quarta dimensão. Nunca é tarde para tanto. Comece a programar novamente; você se converterá em uma nova pessoa e alcançará o sucesso. Milagres extraordinários acontecerão se unicamente aceitarmos, por meio da Palavra, o programa do Espírito Santo.

Essa é uma verdade profunda, porque vem de Deus. Minha oração é que você experimente essa verdade em sua vida e circunstâncias. Comece a disciplinar sua mentalidade, fé, sonhos e palavra por meio da oração, da Palavra e do Espírito Santo. Sei que sua vida já entrou num processo de transformação.

Autoavaliação

VOCÊ É UMA PESSOA QUE POSSUI A ESPIRITUALIDADE DA QUARTA DIMENSÃO?

Vimos do que se trata a espiritualidade da quarta dimensão. Agora é o momento de pensar se você é uma pessoa que possui a espiritualidade da quarta dimensão. A lista de perguntas a seguir não é um critério absoluto; contudo, é um instrumento útil que o ajudará a autoavaliar sua espiritualidade da quarta dimensão. Responda às perguntas e procure melhorar as áreas em que precisa se disciplinar.

	Não	Sim

1. Começo o dia meditando em Deus. 1 2 3 4 5

2. Tenho o hábito de ler a Bíblia e orar diaria- 1 2 3 4 5
mente.

3. Sinto a orientação do Senhor sempre mais do 1 2 3 4 5
que imaginado.

4. Utilizo versículos bíblicos em conversas co- 1 2 3 4 5
tidianas.

5. Vejo mais o lado positivo que o lado negativo 1 2 3 4 5
das coisas.

6. Procuro solucionar os problemas da vida por 1 2 3 4 5
meio da oração e da meditação bíblica mais
do que cair em depressão profunda.

7. Avalio se minhas intenções são bíblicas ou se 1 2 3 4 5
são provenientes do desejo da carne.

8. Tenho o costume de estimular e bendizer as 1 2 3 4 5
pessoas ao meu redor.

9. Procuro ser paciente quando alguém comete 1 2 3 4 5
um erro e não despejo minha ira imediatamente.

10. Tenho mais de dois intercessores que oram 1 2 3 4 5
por mim.

11. Conheço a visão e os dons que Deus me 1 2 3 4 5
deu.

12. Penso em como aceitar a outra pessoa antes 1 2 3 4 5
de lhe falar algo.

13. Oro considerando os sentimentos negativos 1 2 3 4 5
como ansiedade, ira, inferioridade etc.

14. Não me dou por vencido na oração até que 1 2 3 4 5
tenha recebido a resposta do Senhor.

15. Preparo-me especificamente em oração para 1 2 3 4 5
realizar meu sonho.

16. Costumo falar palavras positivas. 1 2 3 4 5
17. Penso que sou uma pessoa que usufrui da 1 2 3 4 5
salvação e da bênção de Deus.
18. Participo ativamente nas reuniões de oração. 1 2 3 4 5
19. Faço que os outros conheçam minha visão e 1 2 3 4 5
lhes peço oração.
20. Não costumo falar negativamente, ainda que 1 2 3 4 5
em situações imprevistas.

Escreva todos os resultados à parte. Depois some todos os resultados da mesma coluna e escreva-o no total. No caso de superar 20 pontos, seu resultado é suficiente, mas, no caso de não passar de 10 pontos, é insuficiente.

					TOTAL
1	5	9	13	17	Mentalidade
2	6	10	14	18	Fé
3	7	11	15	19	Sonhos
4	8	12	16	20	Palavra

Nota: Na segunda parte do livro, você poderá entender melhor o conceito da espiritualidade da quarta dimensão. Recomendo que repita este processo de autoavaliação depois de terminar a leitura completa do livro.

PARTE 2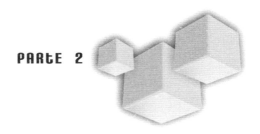

TRANSFORME A QUARTA DIMENSÃO QUE EXISTE EM VOCÊ

CAPÍTULO 3

MENTALIDADE

A mentalidade da carne é morte, mas a mentalidade do Espírito é vida e paz (Romanos 8.6).

A mentalidade pode ser dividida em duas partes: o pensamento da carne e o pensamento do Espírito. A Bíblia ressalta quanto é importante viver segundo o pensamento do Espírito, e não no pensamento da carne.

Romanos 8.5-7 diz:

> Quem vive segundo a carne tem a mente voltada para o que a carne deseja; mas quem vive de acordo com o Espírito tem a mente voltada para o que o Espírito deseja. A mentalidade da carne é morte, mas a mentalidade do Espírito é vida e paz; a mentalidade da carne é inimiga de Deus porque não se submete à Lei de Deus, nem pode fazê-lo.

O ensino bíblico de que a morte e a vida estão em poder do pensamento é muito forte.

A mentalidade influencia a atitude

Aquele que pensa que é possível alcançar o sucesso terá maiores possibilidades de alcançá-lo em comparação com aquele que não pensa assim. Se pensarmos que algo não é possível, a mobilidade de nossa atitude também será reduzida; mas, se pensarmos que algo é possível, nossa atitude será revestida de uma energia ativa e de caráter acelerado.

A psicologia humana não se desenvolve de forma gradual, mas de maneira drástica quando ultrapassamos nossas próprias limitações. Houve um tempo em que se acreditava que era impossível percorrer uma milha em quatro minutos. Os atletas mais destacados daquela época não eram capazes de reduzir o tempo de quatro minutos para percorrer uma milha, que equivale a 1,6 km. Entretanto, esse recorde foi batido pelo atleta inglês Roger Bannister.

Conta-se que Roger experimentou diversas formas e estratégias para quebrar o recorde mundial, e nunca deixou de pensar que era possível conseguir algo melhor, procurando modificar sua maneira de correr durante vários meses. Em 1954, Roger foi o primeiro atleta que rompeu a barreira dos quatro minutos. A partir daí, as corridas de média distância deram início a um novo período de desenvolvimento.

Entretanto, os demais atletas não tentaram mudar seu estilo de correr. O que Bannister fez foi mudar a mentalidade de "não é possível" para "sim, é possível". Essa mentalidade é que produz uma mudança de atitude. Acreditar que é possível conseguir algo abre uma nova possibilidade para uma atitude diferente.

A mentalidade influencia o corpo

A mentalidade influencia o corpo. Ao imaginar uma cena que vimos num filme ou lemos num livro, jornal ou revista, ocorre uma reação física em nosso corpo. Por exemplo, uma imagem cômica nos faz sentir mais leves e ativos; uma imagem de um filme de terror acelera os batimentos cardíacos; ao passo que uma imagem romântica causa excitação.

É por esse motivo que os esportistas primeiro se disciplinam mentalmente para depois dar início ao treinamento físico. Existe uma forte inter-relação entre a mentalidade e a reação física.

Os treinadores e preparadores físicos fazem todo tipo de esforço para motivar sua equipe. Os praticantes de tiro ao alvo se disciplinam mentalmente com a finalidade de obter calma e autoconfiança. Os atletas e nadadores são disciplinados a prever sua capacidade competitiva. Segundo estudos realizados, esse tipo de disciplina produz contração muscular no momento da competição.

A atitude mental influencia também a saúde física. Uma pessoa que padece de câncer viverá de acordo com o seu pensamento sobre isso. Ou seja, aqueles pacientes que pensam constantemente em sua morte não vivem por muito tempo; o que é totalmente diferente daqueles que pensam positivamente e não perdem a esperança.

A mentalidade produz resultados tanto positivos quanto negativos. Ela é algo invisível aos nossos olhos, entretanto é um elemento importante da quarta dimensão que determina a terceira dimensão. Mude sua mentalidade e verá como sua vida será transformada como resultado dessa mudança.

1. PENSE COMO DEUS PENSA

O otimismo incondicional é uma mentalidade humana. Incorpore a maneira de Deus pensar à

> sua, por meio da meditação da Palavra. Examine,
> esquadrinhe, arrependa-se e mude sua mentalidade
> por meio da oração.

A mentalidade influencia a emoção, a atitude e também nosso corpo físico. O pensamento positivo é um elemento que pertence à quarta dimensão humana, mas não é uma chave mestra que soluciona todos os nossos problemas. Uma mentalidade forte se baseia na Palavra, no Espírito Santo e em nossas orações.

A Palavra e a oração inspirada pelo Espírito Santo são elementos poderosos que transformam as circunstâncias da terceira dimensão, pois o Espírito as vê a partir de uma perspectiva negativa, positiva e neutra, com a finalidade de chegar a uma nova alternativa e conclusão. Devemos procurar ter uma mentalidade subordinada a Deus, e não uma mentalidade humana.

Aplique a Palavra à sua mentalidade

A Palavra tem um poder gigantesco. Todas as coisas, além de todos os milagres e prodígios, foram produzidas pela Palavra de Deus. Jesus fez uso da Palavra para vencer a tentação do Diabo no deserto. Uma transformação extraordinária acontecerá em nossa vida se tão somente conseguirmos aplicar a Palavra poderosa de Deus à nossa mentalidade.

Devemos nos aproximar da Palavra, mas não nos contentarmos somente em lê-la. Precisamos usar a Palavra como arma poderosa quando mais necessitarmos dela. Contudo, para isso temos de memorizá-la. A Palavra é a arma mais poderosa na guerra espiritual contra as potestades demoníacas. É importante estabelecer um plano, memorizar uma vez e depois novamente. Não se esqueça de seguir esse processo de aprendizagem, pois dessa maneira terá em suas mãos a espada do Espírito Santo.

O passo seguinte é a meditação:

> Como é feliz aquele
> que não segue o conselho dos ímpios,
> não imita a conduta dos pecadores,
> nem se assenta na roda dos zombadores!
> Ao contrário, sua satisfação
> está na lei do SENHOR,
> e nessa lei medita dia e noite
> (Salmos 1.1,2).

A meditação nos ajuda a entender e aplicar a Palavra em nossa vida diária. Esforce-se em meditar na Palavra de Deus em todo tempo e lugar. Medite na Palavra no momento que a estiver ouvindo, lendo, estudando e memorizando. E você verá que tanto sua mentalidade como sua fé aumentarão a cada dia.

Foi comovente ler o livro que um dos professores da Escola Bíblica de minha igreja escreveu. Jeong Moon Sik, presidente da Erae Eletronics, começou a trabalhar fundamentado em dois princípios: assistir aos cultos todos os domingos e servir como professor da Escola Bíblica.

Em consequência disso, abandonou seu trabalho, que requeria jornada integral, incluindo o domingo, e abriu sua própria empresa. O diácono Jeong é um homem que perdeu o pai aos 10 anos de idade, concluiu o ensino médio numa escola noturna e, com o dinheiro do fundo de garantia de três anos de trabalho, começou seu próprio negócio em uma garagem, um sótão, com somente 500 dólares. Todavia, a pressão era tanta que frequentemente sentia vontade de tirar a própria vida.

Mesmo em momentos de muita depressão, ouvia uma voz que dizia: "Que ninguém engane você com mentira e vaidade; não se atenha às circunstâncias, mas apegue-se a Deus, em fé absoluta".

Tal palavra fez esse homem superar as circunstâncias, a depressão, a ansiedade e a aflição. O segredo da vitória se encontrava no alimento espiritual. Ele conseguiu novas forças ao ouvir a Palavra de Deus e meditar nela, não deixou de assistir aos cultos da igreja nos domingos e fez o máximo de esforço possível para servir na Escola Bíblica, dizimar e ofertar para missões. Não só isso, ele também ofereceu bolsas de estudo a vários alunos da Escola Bíblica para continuarem os estudos.

Como fruto de uma vida diligente em Deus, hoje esse homem se tornou o presidente da melhor empresa na categoria de pequenas e médias empresas em nível nacional, o que anualmente lhe dá o lucro de 100 milhões de dólares. Qual foi a chave desta transformação? Não foi a mentalidade do diácono Jeong, mas uma mentalidade e uma vida conformadas com a Palavra de Deus. Esta declaração revela uma grande verdade: a fonte de bênção está em manter uma mentalidade e uma vida em obediência à Palavra de Deus.

A mentalidade que se assemelha à Palavra

A mentalidade do homem é como uma bola de *rugby*,[a] ou seja, não se sabe a direção que irá tomar. Esse detalhe se deve ao fato de o pensamento ser o centro em que o intelecto, a emoção e a vontade se misturam. A função da Bíblia, a Palavra de Deus, é disciplinar e guiar o pensamento do homem à verdade. O fruto vem quando alguém vive cheio da Palavra de Deus e em obediência a ela. Isso resulta na força que transforma a terceira dimensão circunstancial.

---

[a] Esporte jogado com os pés e as mãos, em que duas equipes adversárias, de 15 atletas cada uma, buscam levar uma bola oval até a linha de fundo adversária ou fazê-la passar por entre as traves da meta, sobre a linha de fundo. [N. do T.]

Podemos mudar nossa mentalidade com a Bíblia, a Palavra de Deus. A Bíblia é a Palavra poderosa do Deus que vive. Hebreus 4.12 diz:

> Pois a palavra de Deus é viva e eficaz, e mais afiada que qualquer espada de dois gumes; ela penetra até o ponto de dividir alma e espírito, juntas e medulas, e julga os pensamentos e intenções do coração.

Somos capazes de vencer todos os obstáculos por meio de Deus que nos fortalece e de ter uma fé positiva, de acordo com Filipenses 4.13: "Tudo posso naquele que me fortalece". É por meio da Palavra que nosso pensamento de abandonar tudo é transformado.

Deus pagou o preço de nossos pecados com o sangue de seu amado Filho Jesus Cristo, por amor a nós. Devemos nos lembrar de que tudo é possível em Cristo, que venceu o mundo da terceira dimensão circunstancial.

Podemos ter paz quando cremos que Deus estará conosco ainda que andemos pelo vale da sombra da morte e enquanto estivermos sob a sombra das asas do Senhor. Ainda que nossos olhos nada vejam, que nossos ouvidos nada ouçam, que nossas mãos nada toquem, se tão somente cremos que Deus está conosco em meio à escuridão, nossa mentalidade será transformada e alcançaremos novas forças para vencer toda depressão e desesperança.

O fruto vem quando a pessoa muda sua mentalidade e alinha seu pensamento à quarta dimensão da Bíblia, isto é, a Palavra de Deus. E o milagre extraordinário de Deus se manifesta.

Alimente seu coração e mente com a Palavra, porque você passará a usufruir de uma vida vitoriosa à medida que o Reino de Deus tome o controle de sua vida e circunstâncias.

A mentalidade que se assemelha ao Espírito Santo

Quando recebemos Jesus Cristo como nosso Senhor, o Espírito Santo vem habitar em nós. Recebemos então o batismo do Espírito Santo, e a plenitude do Espírito nos enche de alegria. Os discípulos viveram algo que jamais haviam experimentado em sua vida quando o Espírito desceu no dia de Pentencoste, no local onde costumavam se reunir. Por meio dessa experiência, renovaram a fé e o amor, para servir fielmente a Jesus Cristo.

Nosso coração precisa estar cheio de alegria para trabalharmos com ânimo e superarmos qualquer tipo de adversidade. Não se pode conseguir nada sem alegria e ânimo. O Espírito Santo, porém, enche-nos de júbilo, o qual produz coragem e alegria. A alegria e a coragem derramadas pelo Espírito nos motivam a pregar o evangelho, apesar das circunstâncias adversas.

Pedro, que por três vezes havia negado o Mestre, converteu-se em um líder logo depois de ter recebido o Espírito Santo e ganhou 3 mil almas num só dia; no dia seguinte, ajudou um aleijado de nascença que estava mendigando na porta do templo a andar e levou 5 mil pessoas a arrepender-se de seus pecados. A coragem do Espírito Santo faz que tenhamos temor ao proclamar o evangelho, para vida ou morte, para êxito ou fracasso, para crescimento ou declínio. Não por nossa força, mas por obra do Espírito Santo.

Os discípulos de Jesus eram pescadores e publicanos que o povo depreciava. Mas, logo depois de serem cheios do Espírito Santo, uma alegria renovadora começou a fluir do coração deles. A mentalidade de fracasso passou a ser uma mentalidade de ousadia, coragem e fidelidade, e isso os impeliu a pregar o evangelho em Jerusalém, Judeia, Samaria, Roma e até os confins da Terra.

A plenitude do Espírito Santo faz que nossa mentalidade se assemelhe ao Espírito Santo e que nossa fé seja positiva, criativa, estimulando a pregar o evangelho com grande esforço.

2. MUDE SUA MENTALIDADE COM UM PROGRAMA POSITIVO

Por mais que as circunstâncias sejam adversas, procure convencer a si mesmo, mude o pensamento negativo e programe sua mentalidade com um programa positivo.

Estou há quarenta e sete anos no ministério e nunca pensei que não seria capaz de alcançar um ministério bem-sucedido. Sempre pensei que a igreja iria crescer, que multidões viriam e que os milagres se manifestariam. Cada vez que um pensamento negativo e frustrante atravessava minha mente, eu o repreendia. Confessava que Deus trabalha todas as coisas para o bem e mudava minha forma de pensar.

Esse pensamento da quarta dimensão foi transmitido em forma de mensagem à terceira dimensão, o que produziu uma mudança de mentalidade e autoconfiança para continuar minha trajetória no ministério. Esse é o segredo pelo qual obtive em meu ministério tudo o que Deus projetava em meu coração. Tudo o que pensei em fé se manifestou em minha terceira dimensão.

O movimento *Semaum* e *Semaul*

Em 1960, durante a ditadura militar do comandante Park Jeong Hee, começou um movimento de progresso econômico em meu país. Era uma época em que a população começava a se concentrar na cidade de Seul, e a grande maioria se estabelecia nos povoados pobres de Ahyeon-dong e Nengcheon-dong na própria cidade de Seul.

Nossa igreja declarou essa área *a rua dos céus*, endereço número *um*, porque sabíamos que Deus nos sustentaria nos momentos mais críticos. Eu e a pastora Choi começamos a pregar o evangelho naquela área, com sede em Seodaemun, por meio de um grande movimento do Espírito Santo: "Deus quer nos batizar com o Espírito Santo. Por intermédio do Espírito Santo, podemos falar em línguas e receber novos dons do Espírito. Recebam o Espírito Santo".

Pregávamos enfatizando bastante o batismo com o Espírito Santo e seus dons. Mas, acima de tudo, havíamos iniciado um movimento chamado *Semaum* (Novo coração), que consistia em renovar o coração.

Nessa ocasião, o presidente Park me convidou um dia para ir à Casa Azul e me fez a seguinte pergunta:

— Pastor Cho, não tem aí uma ideia para renovar nossa nação e transformar as regiões rurais?

Diante da pergunta, não tive dúvidas em lhe responder:

— Senhor presidente, primeiro devemos mudar nossa mentalidade. Inicie um movimento chamado *Semaum* para que o povo comece a pensar de modo positivo. Lembre-se de que há uma igreja em cada canto do país. Inicie esse movimento por meio das igrejas, e algo miraculoso acontecerá.

Imediatamente, o presidente Park chamou Kim Hyeon Ok, ministro do interior, e lhe disse:

— O pastor Cho me aconselha a começar um movimento chamado *Semaum* para renovar a mentalidade de nossa gente. O que o senhor pensa disso?

— Boa ideia. Só que noto um tom religioso. Que acha de mudarmos o nome do movimento para *Semaul* (Novo povo)?

O presidente pediu minha opinião. Então enfatizei que o mais importante era mudar a mentalidade das pessoas para poder conseguir algo miraculoso, e continuei dizendo que seria conveniente iniciar o movimento *Semaum* por meio das igrejas.

No final de tudo, como resultado dessa conversa, começou em todo o país o movimento *Semaul*, que consistia na transformação e no desenvolvimento das regiões rurais e no progresso econômico nacional. O propósito desse movimento era mudar a mentalidade de cada coreano, e o que começou como o movimento *Semaum* nas igrejas ficou conhecido como o movimento *Semaul* em todo o país.

Proclamei esperança por meio do movimento *Semaum*. Em 2Coríntios 5.17, lemos: "Portanto, se alguém está em Cristo, é nova criação. As coisas antigas já passaram; eis que surgiram coisas novas!". Anunciei o Deus de bondade, para desfazer todos os pensamentos negativos do coração do nosso povo, e disse: "Tenha uma fé positiva, essa fé que diz: é possível, podemos fazer e vamos fazer. Não pense que é impossível, que não podemos fazer, mas, sim, creia no milagre do Senhor".

Era uma época muito difícil, e viver com lógica se apresentava como algo impossível. Foi nesses momentos críticos que me levantei para pregar: "Creia no milagre. O Deus que dividiu o mar Vermelho e destruiu os muros de Jericó está conosco neste momento. A pobreza desaparecerá, e a bênção virá. Esperem o milagre pela fé".

Eu os exortava dizendo que deviam confessar a Palavra de Deus, conceber sonhos e ter fé no Senhor. Estes eram os versículos com os quais eu exortava as pessoas a confessarem com a boca:

- Filipenses 4.13: "Tudo posso naquele que me fortalece";
- Romanos 8.28: "Sabemos que Deus age em todas as coisas para o bem daqueles que o amam, dos que foram chamados de acordo com o seu propósito";
- Marcos 9.23: " 'Se podes?', disse Jesus. 'Tudo é possível àquele que crê' ".

No início, as pessoas tomavam a confissão da Palavra como algo excêntrico; entretanto, uma vez que entendiam, eram fortalecidas em seu espírito pelo alimento espiritual e a fé fluía de seu interior, começavam a proclamar a Palavra com mais vigor.

Pensar grande para crescer muito

Todos os grandes servos de Deus, tanto na Coreia do Sul como ao redor do mundo, têm um desejo ardente de saber por que tanto minha igreja como a igreja de meus discípulos se tornaram as maiores igrejas de suas cidades. Existem aqueles que asseguram que deve haver um segredo que eu não revelo. Mas sempre me utilizo de um provérbio antigo para explicar o segredo e o princípio de crescimento da igreja. Ele diz o seguinte: Dos grandes bambus, saem os grandes bambus.

A estrutura de pensamento de meus discípulos é grande, isso porque cresceram observando a magnitude de meu ministério. Chegaram a pensar grande porque pensaram, projetaram e aprenderam minha filosofia pastoral. O pensamento se caracteriza por desenvolver-se, ou seja, não é estático.

Meus discípulos aprenderam a pensar grande observando uma igreja e um ninistério grandes. O desenvolvimento do pensamento se correlaciona diretamente à quantidade e à qualidade do pensamento. Isso se deve ao fato de o pensamento do homem possuir um poder criativo.

Com isso, não quero dizer que um ministério deva ser julgado segundo seu tamanho. As igrejas pequenas das zonas rurais também estão debaixo da vontade e soberania de Deus. Mas quero, sim, afirmar que a magnitude do pensamento determina nossa realidade física. Em outras palavras, existe uma maior possibilidade de quem pensa pequeno obter pequenos frutos e de quem pensa grande obter grandes frutos.

O que é fundamental aqui é a pessoa ser positiva e ativa em procurar desenvolver seu pensamento da quarta dimensão dentro da esfera de seus sonhos. Pensar grande não resulta automaticamente em um grande fruto. O pensamento é apenas um começo. A seguir, deve haver uma ação que o sustente. Por exemplo, um agricultor não deve esperar uma colheita abundante sem ter semeado. Se deseja colher, primeiro deve semear.

Ao refletir sobre meus quarenta e sete anos de ministério, devo admitir que não somente pensei grande, mas também me esforcei ao máximo em oração, consagração e estudo, com a finalidade de alcançar o desejo de meu pensamento. O trabalho árduo e a consagração são fundamentais para que o pensamento se torne realidade.

Mude seu pensamento com um programa positivo

A Bíblia afirma que o que se vê foi feito do que é invisível. Ou seja, a terceira dimensão visível não é produto da terceira dimensão visível, mas está debaixo da influência da quarta dimensão invisível. A pessoa que pensar negativamente na quarta dimensão enfrentará situações negativas. Em contrapartida, a pessoa que pensar positivamente irá deparar com boas obras, segundo seu pensamento.

Nosso corpo é como uma habitação onde está o computador da quarta dimensão. Um dos elementos que programam esse computador é o pensamento. A mentalidade produz ondas no mundo da quarta dimensão que influenciam a terceira dimensão e acabam imprimindo o resultado em nossa vida.

O que obtemos impresso é consequência do programa que instalamos. Por exemplo, um programa que contenha tristeza e doença transmitirá programas de tristeza e doença, tanto em nosso corpo como em nossa vida, elementos que pertencem à terceira dimensão. O pensamento de depressão e de ira faz funcionar automaticamente um programa que produz estresse e enfermidade.

Por outro lado, a pessoa que instala o programa de sua mentalidade com pensamentos positivos irá deparar com circunstâncias positivas na terceira dimensão. Pensar que sou saudável, feliz e que me sinto bem influencia a terceira dimensão e produz satisfação, vitalidade e energia.

Também é importante ter uma mentalidade afirmativa, a qual consiste no pensamento positivo de confessar que algo é possível. Não devemos permitir que nossos lábios confessem: "Não é possível, não posso, não sirvo, sou um fracasso". Uma pessoa ativa sempre diz: "É possível". "Tudo é possível àquele que crê" (Marcos 9.23). A pessoa que tem uma mentalidade ativa se caracteriza por sua convicção. Não pense que fracassará, mas pense que é possível, que você pode e que vai fazer; estabeleça metas e comece a trabalhar. Não deixe de pensar no sucesso e leve em consideração que "ainda que o justo caia sete vezes, tornará a erguer-se" (Provérbios 24.16).

3. COMPREENDA A CONSTITUIÇÃO NEGATIVA DO PENSAMENTO E DOMINE-A

Por causa da Queda, o pensamento do homem está repleto de elementos negativos. Se não quebrarmos a ira, a desesperança e a frustração, elas continuarão crescendo incontrolavelmente.

O pensamento do ser humano é composto por elementos negativos, por causa de sua própria natureza decaída. Por isso, um pensamento negativo atrai outro pensamento negativo em uma reação em cadeia. A constituição do pensamento humano contém elementos negativos e destrutivos, os quais são o ódio, a ira, o terror, a ansiedade, a tristeza, a frustração, o pecado e as marés do mundanismo.

Para ter uma vida vitoriosa, devemos, em primeiro lugar, mudar a constituição de nossa mentalidade. Ela depende da influência externa. A constituição de uma mentalidade é de caráter obediente, quanto à sua relação com fatores externos de influência.

Devemos fazer que nossa mentalidade seja influenciada por circunstâncias positivas, criativas e produtivas. Também devemos quebrar todos os elementos que destroem nosso pensamento da quarta dimensão, tais como a ira, o medo, as circunstâncias negativas etc.

Quebre a ira

A ira do coração produz um programa negativo. Uma ira produz outra ira... e assim sucessivamente. Provérbios 15.18 diz: "O homem irritável provoca dissensão, mas quem é paciente acalma a discussão". A ira não leva em conta a justiça de Deus. A ira produz uma emoção destrutiva e extremista, o que nos impede de tomar decisões acertadas.

A derrota de Hitler na Segunda Guerra Mundial se deve à ira. O ditador alemão se sobressaía por sua destacada inteligência, capacidade de observação, julgamento e liderança incomum. Mas, por causa do seu caráter irascível, seus subordinados não se animavam a lhe dar informações que o irritassem. Quando estava em plena batalha contra os ingleses e os franceses, tirou a armada principal da zona de combate e a colocou na antiga União Soviética, o que se revelou uma decisão infeliz e que lhe custou a derrota.

Quando o exército aliado iniciou a invasão na Normandia, seu ajudante de campo, sabendo que simplesmente alterando a direção das forças armadas que se dirigiam para a União Soviética poderia evitar a catástrofe, teve medo de despertar Hitler, que dormia sua sesta. Enquanto isso, o exército aliado desembarcou na Normandia e conquistou o território rival, o que causou a derrota da Alemanha. Resumidamente, a ira de Hitler levou o império alemão à destruição.

Vença o medo

Devemos vencer o temor que gera a ansiedade, o medo, a tristeza e a frustração do coração, visto que essas emoções reduzem a esperança e a vitalidade e nos fazem cair num poço de depressão.

Em 1João 4.18, lemos: "No amor não há medo; ao contrário o perfeito amor expulsa o medo, porque o medo supõe castigo. Aquele que tem medo não está aperfeiçoado no amor". "O medo supõe castigo." Isso que dizer que, se tememos o câncer, teremos câncer como castigo; se tememos a pobreza, seremos castigados com pobreza; se tememos a guerra, receberemos guerra como punição.

O medo da tristeza tira a esperança do coração. A tristeza é como uma chuva que molha e inunda o coração. De modo que, se uma pessoa guarda tristeza em seu coração, sua vida se tornará negativa, e a pessoa ficará exposta à desesperança. A tristeza é inevitável nesta vida. Muita gente sorri externamente, mas uma chuva de tristeza inunda seu interior. A tristeza é um elemento que faz a constituição de nossa mentalidade ser negativa.

O medo da frustração também tira o desejo de viver. O único caminho para superar a ansiedade e a frustração em meio à aflição é ter esperança em Deus.

Supere as circunstâncias negativas

Todos nós nascemos em um mundo negativo. Vivemos em um mundo onde a maldição sobeja e alcança nosso ser, uma vez que pecamos contra Deus e fomos destituídos do jardim do Éden. Crescemos em um ambiente em que se proclama que é impossível, que não podemos e que viver significa sofrer.

Os telejornais informam notícias negativas; dentre as quais, a corrupção política, a evasão fiscal, os escândalos financeiros por parte das empresas etc. As telenovelas tratam sobre o romance imoral e a devastação da família.

Estamos tão contaminados que chegamos a nos sentir entediados se vemos programas que edificam. Dessa forma, nascemos em um ambiente negativo, vivemos em um ambiente negativo, e o Diabo não para de nos influenciar com pensamentos negativos. O problema é que uma mentalidade negativa não serve como fundamento para uma vida bem-sucedida. A mentalidade é um vaso que Deus usa. Não podemos esperar que Deus trabalhe se pensamos negativamente.

Cada vez que prego, procuro transformar a quarta dimensão de cada membro, principalmente por meio de uma renovação da mente. Necessitamos curar a mentalidade da quarta dimensão das pessoas, para que deem frutos positivos.

Uma mentalidade que necessita de cura não pode ver a vida de maneira positiva e criativa. O barco da vida está destinado ao naufrágio, a menos que a pessoa deixe de se ater à sua própria impotência e à desesperança das circunstâncias. Não existe uma pessoa no mundo que não seja capaz. O problema está em a pessoa supervalorizar sua limitação com pensamentos negativos e cair, dessa forma, em um abismo de depressão. Mas aquele que supera as circunstâncias e pensa positiva, ativa, criativa e produtivamente comerá o fruto de seu pensamento.

Existe uma marcante diferença entre a situação visível e a realidade. As muralhas da cidade são enormes, seus habitantes parecem gigantes, e parecemos gafanhotos comparados a eles. Além disso, a Terra parece ser um deserto. A situação visível, porém, pode ser muito distinta da realidade. Por exemplo, à primeira vista a Terra parece ser plana, mesmo quando observada de um monte alto.

Por essa razão, os homens da Antiguidade diziam que não era aconselhável distanciar-se demais de seu território e, quando viajavam de barco, que não deviam se afastar muito da costa. Isso porque preconcebiam que na beirada do plano havia um abismo.

Todavia, a realidade é totalmente distinta. Atualmente, todos sabemos que a Terra é redonda. Sendo assim, a situação visível nem sempre coincide com a realidade. A Terra parece permanecer estática. Isso se deve ao fato de ela não oscilar nem vibrar bruscamente a ponto de percebermos. No entanto, a Terra está em movimento de rotação sobre seu próprio eixo e dá voltas ao redor do Sol a uma velocidade incrível, apesar de não observarmos nem sentirmos que isso está ocorrendo.

Podemos experimentar um milagre quando abandonamos preconceitos e sentimentos e vivemos com uma mentalidade que supera as circunstâncias e os sentidos. A mentalidade é um elemento da quarta dimensão que precede as circunstâncias e os sentidos.

Podemos superar as circunstâncias e ser transformados pela cruz de Jesus Cristo todos os dias. A cruz é o poder que ressuscita os mortos, a força que chama as coisas que não são como se fossem e o poder que transforma a desesperança em esperança. A mentalidade da quarta dimensão, que supera as circunstâncias e que se obtém por meio da cruz do Calvário, é a força motriz que transforma o pensamento em realidade.

4. PENSE NO EVANGELHO QUÍNTUPLO E NA BÊNÇÃO TRIPLA

Você é uma pessoa próspera. Pense na riqueza.
Guarde o evangelho e o regozijo da prosperidade no
depósito de seu pensamento.

Sempre ensinei meus membros a pensar no Evangelho Quíntuplo e na Bênção Tripla. A Bíblia ensina a pensar em "tudo o que for puro, tudo o que for amável, tudo o que for de boa fama" (Filipenses 4.8). Por isso, nunca deixo de pensar no Evangelho Quíntuplo e na Bênção Tripla.

"Fui perdoado e justificado. Sou uma pessoa santa e cheia do Espírito Santo. Fui curado. Fui liberto da maldição. Recebi a bênção da vida eterna. E nunca deixo de pensar que sou uma pessoa próspera e saudável, assim como prospera minha alma."

A confissão da Palavra significa que, se enchemos a quarta dimensão com vitória, êxito, riqueza e prosperidade, será isso mesmo que se manisfestará no plano tridimensional.

Encha seu pensamento com vitória, êxito e riqueza, porque você já os tem.

O fundamento para pensar no evangelho e na prosperidade

Durante a guerra, minha nação sofreu uma devastação total. Nessa época, quando chegava um trem com uma carga de carvão, as pessoas quase instantânea e automaticamente faziam um grande tumulto no afã de conseguir um pouco desse carvão. Mas isso era dificultado pelos militares.

Era um desses dias. Como de costume, um grande tumulto foi gerado ao redor dos vagões de um trem, quando consegui ver um menino de 10 anos de idade que baixava grandes quantidades de carvão, enquanto seu pai os empilhava no chão. Mas uma porção grande de carvão caíra e estava debaixo do vagão de carga.

De repente, ao ouvir os passos dos militares, as pessoas começaram a descer do trem. Foi então que, no afã de ficar com essa grande porção de carvão, o menino enfiou-se debaixo do vagão, até que se ouviu um ruído de movimento do trem.

As pessoas começaram a gritar. No entanto, ninguém se arriscava a se aproximar do trem para salvar a vida do menino; então, de repente, um homem correu em sua direção: era seu pai. O homem conseguiu tirar o menino, mas não pôde sair a tempo, e o acidente lhe custou a vida: morreu instantaneamente.

Mesmo agora, quando penso naquele incidente, tenho uma sensação de horror. O pai do menino, sabendo que morreria em questão de segundos, logo depois de tirar o filho, fez sinal com a mão para que ele se afastasse o mais distante possível. O trem arrancou, e o pai do menino morreu.

Pensei: *Por que esse homem salvou a vida do menino, sabendo que poderia vir a morrer? Ele não poderia continuar vivendo e ter outros filhos? Por que deu a vida por seu filho?*

Eu era apenas um aluno de escola secundária e não conseguia entender o que os pais sentem por seus filhos. Mas hoje que sou pai de três filhos posso entender o porquê. Não existe uma teoria ou lógica que explique o amor de um pai. O amor é mais forte que a morte e impulsiona a pessoa a dar a vida por seu filho.

Aquele homem sacrificou a vida por amor a seu filho, mesmo tendo a possibilidade de manter-se indiferente e, assim, salvar-se.

O mesmo acontece com Deus. Deus, por amor a nós, quis nos salvar, mesmo pagando um preço muito alto. Por isso, enviou seu amado Filho Jesus Cristo. Foi Deus mesmo que encarnou e morreu na cruz. Podemos ser corajosos ao compreender o amor de Deus, e esse Deus está conosco.

É isso que representa a transformação da mente na esfera da quarta dimensão. Ou seja, existe um fundamento sólido sobre o qual podemos afirmar que nada é impossível para Deus. E experimentaremos vitória e milagres ao dar passos de fé, se dissermos: tudo é possível.

A ressurreição de Cristo é o fundamento de nossa riqueza

Qual é o argumento de nossa riqueza, baseados no qual podemos confessar que somos prósperos? O fundamento é a morte e a ressurreição de Cristo. O amor de Deus foi revelado por meio da cruz, pois a cruz revela o coração de Deus, que nos amou de tal modo que deu seu Filho Jesus Cristo por nós.

Toda frustração e desesperança são lançadas fora se tão somente abraçamos a cruz; a cruz desfaz a morte e o Hades faz resplandecer sobre nós glória da ressurreição. A esperança e a riqueza da morte e ressurreição da cruz transformam a água amarga da frustração e da desesperança em água doce.

Romanos 8.35-39 diz:

> Quem nos separará do amor de Cristo? Será tribulação, ou angústia, ou perseguição, ou fome, ou nudez, ou perigo, ou espada? Como está escrito:

"Por amor de ti enfrentamos
a morte todos os dias;
somos considerados
como ovelhas
destinadas ao matadouro".

Mas, em todas estas coisas somos mais que vencedores, por meio daquele que nos amou. Pois estou convencido de que nem morte nem vida, nem anjos nem demônios, nem o presente nem o futuro, nem quaisquer poderes, nem altura nem profundidade, nem qualquer outra coisa na criação será capaz de nos separar do amor de Deus que está em Cristo Jesus, nosso Senhor.

Da mesma forma, o poder e a glória da ressurreição da cruz de Jesus Cristo transformam a água amarga da desesperança em água doce.

Mostrei a você o primeiro elemento da quarta dimensão. Nossa vida depende de nossa mentalidade, se pensamos na carne ou no espírito. Para colher fruto santo, devemos primeiro ser guiados e subjugados pelo Espírito Santo. O Espírito é quem nos dá vida e paz. Nossos desejos são realizados à medida que aprendemos a pensar juntamente com o Espírito Santo. Lembre-se de que o pensamento é um fator de influência.

Devemos estabelecer uma comunhão íntima com o Espírito Santo, reconhecer que ele é Senhor, para que nossa mentalidade esteja sob sua influência.

Em segundo lugar, temos de expressar nosso pensamento em forma de oração, que é o sistema respiratório espiritual e o canal de comunicação com Deus. A oração é um elemento poderoso que atrai o pensamento da quarta dimensão à própria realidade. Tudo o que pedirmos a Deus em oração, confiando a Deus nossas petições, resultará em uma resposta, porque Deus é soberano.

A oração é uma ação da terceira dimensão, mas, por sua vez, é uma realidade que move a quarta dimensão. Deus dotou o homem com o privilégio de comunicar-se com ele, e isso se dá por intermédio da oração. A oração que coincide com a vontade e o pensamento de Deus é o poder que move o coração de Deus.

Em terceiro lugar, devemos nossa mentalidade à Palavra de Deus. A mentalidade do homem é como uma bola de *rugby*, que se distingue por sua imprevisível direção. A mentalidade é constituída por intelecto, emoção e vontade.

Dessa forma, a única maneira de manter nossa mentalidade no caminho certo é por meio da Bíblia. As circunstâncias da terceira dimensão mudam quando nossa mentalidade fica sujeita e obedece à Palavra de Deus. De maneira que é nosso dever transformar nosso modo de pensar. Nossa vida, se for cheia de pensamentos de Deus, será constituída por dias de grandes alegrias e esperança, como aquele Sol que nunca deixa de resplandecer.

LISTA DE VERIFICAÇÃO DO CAPÍTULO 3

MENTALIDADE

1. Pense como Deus pensa

O otimismo incondicional é uma mentalidade humana. Incorpore a maneira de Deus pensar à sua, por meio da meditação da Palavra. Examine, esquadrinhe, arrependa-se e mude sua mentalidade por meio da oração.

2. Mude sua mentalidade com um programa positivo

Por mais que a circunstância seja adversa, procure convencer a você mesmo, mude o pensamento negativo e programe sua mentalidade com um programa positivo.

3. Compreenda a constituição negativa do pensamento e domine-a

Por causa da Queda, o pensamento do homem está repleto de elementos negativos. Se não quebrarmos a ira, a desesperança e a frustração, elas continuarão crescendo incontrolavelmente.

4. Pense no Evangelho Quíntuplo e na Bênção Tripla

Você é uma pessoa próspera. Pense na riqueza. Guarde o evangelho e o regozijo da prosperidade no depósito de seu pensamento.

67

ANTES DE USAR ESTA AUTOAVALIAÇÃO:

- Esta autoavaliação é um forte elemento que o ajudará a aplicar os quatro elementos da quarta dimensão (mentalidade, fé, sonhos, palavra). Utilize-a uma vez que tenha lido todo o livro.

- Pratique um elemento por semana, não mais de um. Verifique suas ações todos os dias e marque **o**, _ ou **x**, de acordo com a avaliação.

- Você experimentará uma transformação maravilhosa em sua vida dentro do período de um ano a quatro meses.

o: Apliquei o elemento ao menos uma vez.

_: Tentei aplicá-lo, mas os resultados não foram satisfatórios.

x: Não consegui aplicá-lo.

Mude sua mentalidade

1. Comecei o dia meditando em Deus.

   ➤ Comece o dia meditando em ___ versículos e orando ___ minutos.

2. Procurei ver mais o lado positivo do que o negativo em meus deveres diários.

   ➤ Pense quais elementos positivos ( ), ( ) seus deveres diários contêm.

3. Orei tendo como alvo os elementos negativos (temor, ira etc).

   ➤ Ore pelos elementos negativos, como, por exemplo, o temor, a ira, ( ), ( ) etc.

4. Creio que sou uma pessoa que usufrui da salvação e a bênção de Deus.

➤ Confesse com a boca que (seu nome) é um(a) filho(a) de Deus por ___ vezes.

SE VOCÊ TRANSFORMAR A MENTALIDADE DA QUARTA DIMENSÃO, SUA VIDA DA TERCEIRA DIMENSÃO SERÁ TRANSFORMADA!

MENTALIDADE

A mentalidade da carne é morte, mas a mentalidade do Espírito é vida e paz (Romanos 8.6).

Semana — Conteúdo —

Dom Seg Ter Qua Qui Sex Sáb

1. Comecei o dia meditando em Deus.

2. Procurei ver mais o lado positivo do que o negativo em meus deveres diários.

3. Orei tendo como alvo os elementos negativos (temor, ira etc).

4. Creio que sou uma pessoa que usufrui da salvação e da bênção de Deus.

CAPÍTULO 4

FÉ

"Se podes?", disse Jesus. "Tudo é possível àquele que crê" (Marcos 9.23).

Qual é a sua atitude diante de uma situação difícil, em que tudo parece desmoronar?

Devemos admitir que nossa fé é vulnerável, de tal forma que, diante de uma situação difícil, é impossível mantê-la. Isso acontece porque todas as coisas visíveis da terceira dimensão afetam negativamente nossa mentalidade. Diante de uma situação adversa, não devemos nos concentrar nas circunstâncias, mas pensar e confiar no Deus da quarta dimensão para poder superá-las. Desse modo, Deus, ao ver nossa fé, dá-nos força para ultrapassar qualquer tipo de obstáculos e opera o milagre. As circunstâncias não importam, as aparências não interessam; o que importa é pensar e confiar em Deus. E o milagre acontecerá.

Aconteceu faz vinte anos, quando, logo depois de dirigir uma conferência na cidade de Adelaide, Austrália, informaram-me que, por causa de uma greve da companhia aérea, não poderia viajar para Perth. Entre os destinos, havia uma distância equivalente a três horas em um Boeing e de cinco horas em um avião particular. Liguei então para o anfitrião do evento e disse-lhe que não poderia ir por causa de uma greve na companhia aérea. Mas o pastor anfitrião disse que tudo estava preparado, que as pessoas me esperavam, que era impossível cancelar a cruzada e que enviaria um avião particular para me buscar.

Pouco tempo depois, o avião chegou. Mas, como se tratava de um avião manual sem piloto automático, deveríamos nos guiar por uma rota terrestre. Tudo parecia estar sob controle quando, de repente, uma grande tempestade começou a ameaçar nossa vida. As nuvens impediam a visão, e o ponteiro do relógio marcava zero. Tudo era escuridão, e nossa visão não conseguia distinguir absolutamente nada. Ao ver que não podia continuar pilotando, o piloto, na tentativa de não perder a direção, tentou captar a frequência dial e me disse: "Preciso que você controle a alavanca de comando".

Ao ouvir essas palavras, fiquei petrificado. Mas, como se tratava de uma urgência, não tinha alternativa. Fiquei tentando não perder o controle da alavanca de comando, mas cada vez era mais difícil, e eu não conseguia fazer nada. A um passo da morte, não podia fazer mais nada além de confiar em Deus e clamei, dizendo: "Senhor, salva-me!". Atravessar a tormenta era como viajar pelo inferno propriamente dito.

Depois de duas horas, comecei a ver uma luz que resplandecia; era a luz da cidade de Perth, que indicava a transferência da morte para a vida. Essa luz nos serviu como bússola para seguir nossa viagem a essa cidade. Os assistentes da conferência disseram unanimemente que era um milagre. Realmente se tratava da graça e do poder de Deus. Não conseguia ver nada, mas Deus estava ali para nos guiar.

A fé é uma substância do coração que não se observa com os olhos físicos. A fé é uma condição absoluta que é necessária na relação com Deus. Hebreus 11.6 diz: "Sem fé é impossível agradar a Deus, pois quem dele se aproxima precisa crer que ele existe e que recompensa aqueles que o buscam". Por mais que Deus queira nos conceder algo, se nós não cremos nisso, tudo se desvanece. A fé é o poder que unifica a vontade de Deus com o coração do homem.

Devemos sempre procurar levar uma vida na fé em Jesus Cristo. A Bíblia ensina que o justo viverá pela fé. No Reino de Deus, tudo se observa por meio da fé. A fé é a certeza do que não se vê; portanto, devemos ver com fé o que não se vê. A perspectiva do amor de Deus nos permite a realização do que não vemos na esfera física.

Devemos ver a realidade de acordo com o princípio de visualização e confiar a Deus o pensamento e as circunstâncias negativas. Viver em fé é a chave para uma vida vitoriosa.

1. USE O PRINCÍPIO DE VISUALIZAÇÃO

Observe a meta que não se vê como se
fosse. Veja a substância. Conceba um
desejo, creia que se realizou e ore.

Se você deseja um milagre, tem que, sob a direção do Espírito Santo, crer nele de acordo com o princípio de visualização. Como Abraão chegou a ser o pai da fé? Por meio do sonho e da fé em Deus. Ao sair da terra do Egito, Deus o levou ao cume de um vale e lhe disse: "De onde você está, olhe para o norte, para o sul, para o leste e para o oeste: toda a terra que você está vendo darei a você e à sua descendência para sempre" (Gênesis 13.15). Note que Deus primeiramente fez Abraão visualizar a terra e depois lhe deu fé para conquistá-la. A visualização e a fé são como os dois lados da mesma moeda. A visualização pertence à quarta dimensão, mas se une à fé para operar o milagre. Hebreus 11.1,2 diz: "Ora, a fé é a certeza daquilo que esperamos e a prova das coisas que não vemos. Pois foi por meio dela que os antigos receberam bom testemunho". Dessa forma, a fé é a certeza e a convicção do que visualizamos.

Espere colher o que semeou

Sempre pedi pelo Reino de Deus e sua justiça e semeei em fé esperando o milagre. Em um momento de oração, Deus me disse: "Quero que semeie sua casa, porque por essa oferta Deus fará um grande milagre". E ofertei minha casa de Nengcheon-dong a Deus para a construção da igreja em Yoido.

Mesmo sendo pastor, não era nada fácil ofertar, porque se tratava de uma casa que eu e minha esposa compramos com muitíssimo esforço, logo depois de casarmos. Mas decidi obedecer. E Deus realizou um grande milagre, porque a aquisição da terra em Yoido nos permitiu construir uma igreja grande e estender as tendas de nosso ministério. O que agradou a Deus não foi a quantia de minha oferta, mas o fato de semear com fé em obediência à sua Palavra.

O homem colhe o que semeia. O que semeia pouco colhe pouco, mas o que semeia muito colhe muito. A lei da semeadura e da colheita não constitui apenas uma lei natural, mas também uma lei espiritual. Temos de esperar colher muito, se semeamos muito. Você já viu um lavrador que não espere o tempo da colheita, quando fez todo tipo de esforço para semear? Devemos ter esse nível de fé, pelo qual possamos dizer que estamos dispostos a ofertar todos os nossos pertences, pois essa é a atitude que atrai o milagre. Por meio da cruz, Deus já nos abençoou para que prosperemos em todas as coisas, e para que tenhamos saúde, assim como prospera nossa alma.

Gálatas 6.7-9 diz:

> Não se deixem enganar: de Deus não se zomba. Pois o que o homem semear, isso também colherá. Quem semeia para a sua carne, da carne colherá destruição; mas quem semeia para o Espírito, do Espírito colherá a vida eterna. E não nos cansemos de fazer o bem, pois no tempo próprio colheremos, se não desanimarmos.

Desenvolva o conteúdo da oração

Uma vez que tenha concebido convicção e certeza de que recebeu o que pediu e o visualizou de acordo com o princípio de visualização, é tempo de mudar o estilo de sua oração. Você não pode continuar dizendo: "Senhor, concede meu desejo, responde à minha oração", quando o Senhor já respondeu, pois essa seria uma oração de dúvida, e não de fé.

Depois de pedir algo a Deus em oração, devemos confessar: "Deus, obrigada por me curar". Agradecer completa a cura. Lembre-se de que os sintomas podem continuar, mas a cura já está feita. Mesmo quando o Espírito Santo nos dá convicção de que fomos curados, se continuarmos dizendo: "Senhor, cura-me", ele nos dirá: "Ouça, já curei você". Ou seja, nossa oração pode se transformar em uma confissão de incredulidade.

Há ocasiões em que, quando oramos pela salvação de nossos filhos, Deus nos dá a convicção de que foram salvos. Ainda assim, os filhos não assistem aos cultos e estão ocupados com seus afazeres. E isso nos deixa duvidosos, porque existe um abismo enorme entre a convicção e a realidade.

Nesse caso, você deve orar da seguinte forma: "Deus Pai! Chama meu filho mais velho, pois ele foi salvo. Faze minha filha se arrepender, porque foi salva. Não permitas que meu filho mais novo continue no mundo, pois o Senhor já o salvou". Essa é uma oração de fé.

O mesmo acontece com outras áreas da vida. Por exemplo, se você se encontra orando por trabalho, e Deus lhe dá convicção, não deve orar: "Senhor, dá-me trabalho", porque o Senhor o repreenderá, dizendo: "Ouça, já lhe concedi um trabalho". Você deveria orar desta maneira: "Deus, obrigado pelo meu novo trabalho. Já que o Senhor o proveu para mim, permite que eu o conheça logo".

Quando você crê nas coisas que não são como se fossem, também é necessário que confesse essas coisas que não são como se fossem. A oração do princípio de visualização não deve ser acompanhada de vãs repetições, mas de convicção.

2. RESISTA À TENTAÇÃO DAS CIRCUNSTÂNCIAS NEGATIVAS

Existem numerosos fatores que tentam nossa fé. Mas você deve vencer as circunstâncias, orar até obter paz e clamar a Deus com fervor.

Visualizamos, cremos e concebemos o sonho de Deus. Entretanto, as circunstâncias nos levam à frustração e ao desejo de querer abandonar tudo. Mas você não deve se ater a isso, porque esses são obstáculos que você mesmo deve vencer. O que se espera se transforma em certeza somente para aquelas pessoas que venceram em paciência e tenacidade.

Eu creio! Ai... mas é difícil crer

Foi na década de 1960, quando minha igreja crescia de maneira acelerada, que implementamos pela primeira vez as vigílias às sextas-feiras. Nessa época, não existiam vigílias em meu país. Minha igreja foi pioneira em difundir as reuniões de vigílias em toda a Coreia.

Naquela época, as reuniões de vigílias atingiam seu ponto máximo por volta das 4 horas da manhã do dia seguinte; orávamos, cantávamos louvores, e também eram muitos os testemunhos. O fervor da oração era tão grande que todos tinham a impressão de que a noite passava muito rápido. Lembro-me de que multidões se aproximavam da igreja para orar, recebiam cura divina e eram cheias do Espírito Santo. Foi em uma dessas reuniões que, logo depois de orar pelos enfermos, eu disse: "Há uma pessoa que foi curada de úlcera gástrica".

De repente, um jovem se colocou em pé e gritou, dizendo: "Pastor! Sou eu! Sou eu quem foi curado de úlcera! Eu creio... mas é difícil crer".

Essa última frase me chamou a atenção. Dizer que para ele era difícil crer era uma confissão sincera. O mesmo acontece com cada um de nós. Há ocasiões em que confessamos crer, mas para nós é difícil crer, porque a fé não é manipulável, muito menos se trata de uma sensação; a fé é algo que supera a sensação e as circunstâncias.

O jovem era um estudante da Universidade de Yonsei que, por causa da úlcera, vomitava sangue e se encontrava a um passo da morte. Clamava a Deus por sua cura, mas o problema era que crer era difícil para ele. Orei para que minha fé pudesse de alguma forma ser transmitida a ele. Impus as mãos sobre ele e comecei a orar com muito fervor. Eu sabia que primeiro deveria mudar a quarta dimensão do jovem, pois ele necessitava pensar e crer na cura, sonhar com o futuro e confessar a Palavra.

O jovem foi curado e tornou-se um grande homem de fé; ingressou no instituto bíblico e hoje é um destacado pastor de uma igreja presbiteriana.

Apesar de nosso esforço para preservar a fé e viver por ela, o senso comum e o conhecimento do mundo nos levam às sombras da frustração. As circunstâncias continuam pressionando nossa vida, por mais que nos apeguemos à Palavra de Deus e esperemos por um milagre. No entanto, temos de superar tais circunstâncias, porque Deus nos deu força para vencê-las. Você também pode se tornar um vencedor.

Rompa o gelo da incredulidade por meio da oração fervorosa

A Bíblia nos ensina que devemos crer que recebemos tudo o que pedimos em oração; todavia, há ocasiões em que é difícil crer. E aí está o problema. Você tem de orar até crer que recebeu o que pede em oração. Mas lembre-se de que existe uma parede de gelo que impede o acesso à fé em crer que já recebemos a resposta à oração. É necessário romper o gelo, e ele não se rompe com um vento frio, mas com o calor da oração.

É o calor da oração que consegue descongelar a parede de gelo. O motivo pelo qual muitas pessoas se frustram e não alcançam paz nem convicção é porque não conseguem romper o gelo. É quando o gelo é quebrado que podemos estender a mão para receber a resposta da oração e desfrutar de convicção e paz.

Mateus 7.7,8 diz: "Peçam, e lhes será dado; busquem, e encontrarão; batam, e a porta lhes será aberta. Pois todo o que pede, recebe; o que busca, encontra; e àquele que bate, a porta será aberta". Jesus prometeu que nos responderia em uma escala muito maior do que o que pedimos ou entendemos. Devemos orar até obter convicção e, logo depois de haver rompido o gelo, temos de crer e confessar que recebemos o que pedimos em oração.

Isaías 55.6,7 salienta:

> Busquem o SENHOR
> enquanto é possível achá-lo;
> clamem por ele enquanto está perto.
> Que o ímpio abandone o seu caminho,
> e o homem mau, os seus pensamentos.
> Volte-se ele para o SENHOR,
> que terá misericórdia dele;
> volte-se para o nosso Deus,
> pois ele dá de bom grado o seu perdão.

O renomado pastor inglês Spurgeon disse: "A oração é puxar a corda para baixo a fim de que o sino do céu soe nos ouvidos de Deus". Ou seja, existe um sino sob o ouvido de Deus e, se puxamos a corda para baixo, Deus escuta e responde às nossas orações.

A oração de fé é o canal que transforma a desesperança absoluta em esperança absoluta. Há pessoas que criticam a atitude de orar em voz alta, mas a Palavra de Deus diz, em Jeremias 33.3: "Clame a mim e eu responderei e lhe direi coisas grandiosas e insondáveis que você não conhece". Clamar significa orar em alta voz.

Salmos 145.19 diz: "Ele realiza os desejos daqueles que o temem; ouve-os gritar por socorro e os salva". Devemos orar, clamar até obter convicção e paz no coração. Deus responde às nossas orações quando clamamos com um desejo ardente.

3. CONFIE A DEUS A CARGA DA VIDA DA TERCEIRA DIMENSÃO

Vivemos em um mundo cheio de ansiedade e frustração. Mas descarregue a ansiedade e confie a Deus o pensamento negativo e o temor. Ponha seus olhos em Deus.

O Senhor Jesus teve compaixão daqueles homens que estavam sobrecarregados e, em convite a uma vida leve e tranquila, disse: "Venham a mim, todos os que estão cansados e sobrecarregados, e eu lhes darei descanso" (Mateus 11.28).

A carga de seu pecado é pesada? A carga da vida é pesada? O jugo do Diabo é pesado? A carga de sua enfermidade é pesada? A carga da sobrevivência é pesada? A carga da vida é triste? A carga da morte é dolorosa? "Não se preocupe", diz Jesus, "não se sobrecarregue. Eu a tomarei sobre mim. Visto que eu já levei sobre mim toda a carga na cruz, você deve somente confiar, obedecer e descansar à sombra de minhas asas". Não é emocionante esse convite?

O Senhor é meu Pastor

Tenho o costume de trazer à memória o seguinte versículo bíblico sempre que o medo aterroriza minha vida:

> Você não temerá o pavor da noite,
> nem a flecha que voa de dia,
> nem a peste que se move sorrateira
> nas trevas,
> nem a praga que devasta ao meio-dia.
> Mil poderão cair ao seu lado,
> dez mil à sua direita,
> mas nada o atingirá (Salmos 91.5-7).

A Palavra de Deus é viva e eficaz; a terra e os céus passarão, mas a Palavra de Deus permanecerá para sempre. A Palavra age ainda hoje, quando a conhecemos, cremos em seu poder, quando a visualizamos e a confessamos.

A sociedade coreana atravessa o vale da ansiedade. O medo da guerra oprime o coração do povo. O conflito que envolve a questão nuclear com a Coreia do Norte e a guerra no Iraque são alguns dos fatores que alimentam a tensão. Vimos a calamidade da guerra no Iraque, e isso causa uma tensão maior por causa do temor da possibilidade de uma guerra na península coreana. Procuramos aparentar paz, mas na verdade é impossível desfazer o temor da ansiedade.

Outra questão é o conflito de ideias na área política, por causa da brusca mudança geracional. A geração jovem critica a geração adulta de conservadores, enquanto os adultos criticam a nova geração por ser extremamente reformista. Dessa forma, nosso país se dirige novamente para o caos e o conflito.

Outro problema é a crise econômica. Diz-se que as exportações não caíram; no entanto, a economia do país se encontra em crise. A taxa de endividados, de desemprego e os preços estão em pleno aumento, o que provoca ansiedade entre os trabalhadores. Além do mais, uma epidemia não identificada, de origem chinesa, ameaça a vida de muitos sul-asiáticos e europeus. Existem numerosas enfermidades que os médicos não podem identificar.

Como consequência, o número de centros de controle mental aumentou drasticamente. Anualmente, publicam-se mais de cem livros que tratam sobre controle mental e autoajuda, e cada vez é maior o número de pessoas que buscam os bruxos e os psicólogos. O século XX foi uma história de guerras. Entre 120 e 180 milhões de pessoas morreram, somente no século XX, por causa de massacres e guerras. Entre 1945 e 1990, só houve três semanas sem guerra.

Ainda assim, são muitos os fatores que nos fazem atravessar o vale do temor e da ansiedade, tanto em termos nacionais como mundiais. A solução não está nos bruxos nem nos psicólogos; a solução está somente em Jesus Cristo, nosso Pastor. Jesus Cristo, que tem toda a autoridade nos céus e na Terra, toma-nos pela mão quando atravessamos o vale da sombra da morte.

Tomados pela mão de Jesus Cristo, podemos atravessar pelo vale da sombra da morte, porque somente o Senhor pode guiar-nos com sua vara e seu cajado. A vara do Senhor representa a direção do Senhor. João 10.3 diz: "O porteiro abre-lhe a porta, e as ovelhas ouvem a sua voz. Ele chama as suas ovelhas pelo nome e as leva para fora". O Senhor é o nosso Pastor, e somos suas ovelhas. O Senhor conhece cada um de nós pelo nome, nos guia com sua vara e nos chama pelo nome.

4. APRENDA A VIVER PELA FÉ

Aprenda a viver pela fé e a caminhar com Deus.
Tenha um encontro pessoal com o Espírito Santo,
medite na Palavra de Deus e tenha comunhão com
homens de fé.

Somos seres vulneráveis, porque o homem é um ser finito. Procuramos levantar-nos aqui e ali, mas tornamos a cair. Deus, no entanto, tem compaixão de nós e quer proteger-nos. Isso não é uma maravilha? Deus nos deu sua Palavra para que, por meio dela, possamos vencer o mundo, assim como nos deu o Espírito Santo, o Consolador, para sustentar-nos. E não somente isso: Deus nos abençoou com a comunhão entre irmãos. Devemos prosseguir meditando na Palavra e mantendo uma estreita comunhão com o Espírito Santo e nossos irmãos na fé.

A fé cresce pela Palavra

D. L. Moody, o evangelista que transformou os Estados Unidos da América no século 19, logo depois de sua conversão não conseguia deixar de cambalear em sua vida espiritual, apesar de seu esforço, até que um dia decidiu ir ao monte orar e participar de campanhas evangelísticas. No entanto, a unção não durava mais do que um mês. Foi então que Moody, frustrado, disse: "Parece que meu coração é como aquele terreno pedregoso, onde não pode crescer a semente da Palavra".

Foi em um desses dias quando, repentinamente, buscou na Palavra a passagem de Romanos 10.16,17, que diz: "No entanto, nem todos os israelitas aceitaram as boas novas. Pois Isaías diz: 'Senhor, quem creu em nossa mensagem?' Consequentemente, a fé vem por se ouvir a mensagem, e a mensagem é ouvida mediante a palavra de Cristo".

Ao ler esse trecho da Bíblia, Moody se deu conta de algo impressionante: que o fundamento da fé é a Palavra e que o ato de ouvir a Palavra de Cristo sustenta a fé. A partir desse instante, Moody começou a meditar na Bíblia todos os dias pela manhã bem cedo e a orar pelo crescimento de sua fé. Confessar, falar e agir pela Palavra foram elementos-chave que Moody usou para desenvolver sua fé.

Foi logo depois dessa experiência que Moody se converteu em um gigante da fé e conseguiu transtornar o mundo inteiro com a mensagem do evangelho. Esse evangelista disse: "A Bíblia foi meu leito quando eu mais necessitava, minha lâmpada quando tudo era escuridão, minha ferramenta na hora de trabalhar, meu instrumento musical quando louvava, meu mestre-guia em meio a minha ignorância e minha rocha quando eu cambaleava".

Um salto de fé por meio do Espírito Santo

João Wesley, o pastor que implantou a Igreja Metodista e transformou a Inglaterra no século XVIII, consagrou-se a Deus quando era apenas um simples estudante da Universidade de Oxford. E foi enviado aos Estados Unidos como missionário. No entanto, sua obra missionária terminou sendo um fracasso. Uma grande crise de fé arrasou sua vida e, frustrado, decidiu regressar a seu país natal.

Na viagem de regresso à Inglaterra, uma grande tempestade começou a ameaçar a vida de muitos tripulantes que viajavam no navio, incluindo ele mesmo. Mas alguns morávios[a] a bordo se mantiveram firmes na fé e não deixavam de louvar a Deus. Isso causou um impacto na vida do pastor Wesley.

Em 24 de maio de 1738, João Wesley experimentou o poder do Espírito Santo em Oldersgate, Londres. O pastor Wesley lembra-se do ocorrido desta maneira:

> Aquela noite, estive presente em uma campanha evange-lística em Oldersgate, quase que obrigado por causa de um amigo. Alguém começou a ler a introdução do comentário de Romanos, escrita por Martinho Lutero. E, passados quinze minutos das 9 horas da noite, meu coração começou a bater em meio a um fogo ardente, quando escutava o pregador falar que a fé em Jesus Cristo transformava nosso coração.

[a] Originários da Morávia. A Morávia é uma região da Europa Central, formando hoje em dia a parte oriental da República Checa. Fonte: http://pt.wikipedia.org/wiki/Mor%C3%A1via. [N. do T.]

Aquela noite, entendi claramente que por meio da fé em Jesus Cristo recebi o perdão dos pecados, a justificação pela fé e a salvação.

Wesley tinha conhecimento do que tratava o livro de Romanos, mas seu conhecimento era só intelectual. Naquela noite, porém, em meio a um fogo ardente e ao mesmo tempo extravagante, ele se deu conta de que o perdão de pecados e a justificação eram recebidos por meio da fé. Uma luz iluminou seu espírito, e uma alegria indescritível inundou seu coração. Depois dessa experiência, ele começou a transformar a Inglaterra com o evangelho.

Após muitos anos, quando as pessoas lhe perguntavam: "Qual foi a força que o impulsionou a pregar o evangelho?", ele respondia: "Foi o fato de abraçar o fogo do Espírito Santo, aquele fogo que um dia conheci em Oldersgate". Somente o fato de conhecer a verdade não modifica nossa vida. Temos de entender e experimentar a verdade por intermédio do Espírito Santo para ter esse tipo de fé e valor que supera toda turbulência e adversidade. O pastor Wesley fez crescer a estatura de sua fé por meio da comunhão com o Espírito Santo. Enchamos nosso coração com o fogo do Espírito Santo, como fez João Wesley.

O Espírito Santo que desceu sobre Wesley deseja estar conosco neste mesmo instante. É ele quem nos ajuda a compreender e a recordar a Palavra. A fé da quarta dimensão cresce por intermédio do Espírito Santo. A fé não é uma criação nossa, mas, sim, uma graça dada por Deus, um produto do Espírito Santo.

Romanos 8.26,27 diz:

Da mesma forma o Espírito nos ajuda em nossa fraqueza, pois não sabemos como orar, mas o próprio Espírito intercede por nós com gemidos inexprimíveis. E aquele que sonda os corações conhece a intenção do Espírito, porque o Espírito intercede pelos santos de acordo com a vontade de Deus.

O Espírito Santo intercede, guia e ensina em cada passo de nossa vida. É por meio do Espírito Santo que conseguimos entender a Palavra e a vontade de Deus Pai e de Jesus Cristo.

A fé unificada entre irmãos

A fé unificada entre irmãos se torna uma fé muito mais sólida e firme. A Bíblia ensina: "Pois onde se reunirem dois ou três em meu nome, ali eu estou no meio deles" (Mateus 18.20). Além do mais, Deus abençoa um lugar pela presença de um justo. Por meio da comunhão com os irmãos, podemos estender o Reino dos céus e vencer o mundo com muito mais facilidade. Também podemos ser uma fonte de inspiração para muitas almas.

Em 1969, o ex-presidente dos Estados Unidos, Dwight Eisenhower, teve um diálogo privado de trinta minutos com o evangelista Billy Graham, quando se encontrava em estado muito grave, em uma das salas do hospital militar em Wiltrid. Ao finalizar a conversa, o presidente Eisenhower suplicou ao evangelista que permanecesse por um pouco mais de tempo, dizendo:

— Pastor, quero continuar conversando com o senhor. Não se vá, por favor.

— Bem... pois tem algo mais para dizer?

— Pastor, ainda não estou certo de poder encontrar-me com Deus. Poderia ajudar-me?

— Para receber o perdão dos pecados, salvação e poder de ser chamado filho de Deus, basta crer em Jesus Cristo, que sofreu a morte na cruz e ressuscitou por nós. Não é por algo que nós façamos.

Billy Graham, tomando a mão do presidente Eisenhower, orou por ele. O presidente, com lágrimas nos olhos, disse:

— Pastor, obrigado. Agora, sim, estou preparado para encontrar-me com Deus. Tenho paz no coração.

O presidente Eisenhower faleceu em meio a essa paz. A oração de fé do evangelista Billy Graham fez que tivesse paz antes de sua morte. Dessa forma, se você sente que lhe falta fé, busque um companheiro na fé, pois sua oração pode ser de grande ajuda. A oração de fé entre irmãos traz paz e convicção.

A escola da fé é um curso que dura toda a vida

Temos de viver firmando nossos passos na fé, visualizar o Reino dos céus e preservar a esperança. Por mais que a realidade nos pareça obscura, não devemos olhar as circunstâncias, mas, sim, olhar para Deus, prosseguir em uma vida de fé ativa e positiva, porque Deus fará todas as coisas concorrerem para o nosso bem. Para tanto, necessitamos fazer da fé um hábito espiritual. Devemos desejar o crescimento de nossa fé por meio da Palavra, da comunhão com o Espírito Santo e com os irmãos na fé.

Dessa forma, viver pela fé é a chave para experimentar o milagre de Deus. Viver pela fé não é algo que se consegue da noite para o dia, mas trata-se de um curso que dura toda a vida. Por isso, o hábito é muito importante. Os grandes homens de fé que aparecem na Bíblia são homens que aprenderam a viver pela fé e forjaram sua vida vivendo pela fé. A fé da quarta dimensão é um elemento que cresce por meio da aprendizagem.

LISTA DE VERIFICAÇÃO DO CAPÍTULO 4

FÉ

1. Use o princípio de visualização

Observe a meta que não se vê como se fosse. Veja a substância. Conceba um desejo, creia que ele se realizou e ore.

2. Resista à tentação das circunstâncias negativas

Existem numerosos fatores que tentam nossa fé. Mas você deve vencer as circunstâncias, orar até obter paz e clamar a Deus com fervor.

3. Confie a Deus a carga da vida da terceira dimensão

Vivemos em um mundo cheio de ansiedade e frustração. Mas descarregue a ansiedade e confie a Deus o pensamento negativo e o temor. Ponha seus olhos em Deus.

4. Aprenda a viver pela fé

Aprenda a viver pela fé e a caminhar com Deus. Tenha um encontro pessoal com o Espírito Santo, medite na Palavra de Deus e tenha comunhão com homens de fé.

ANTES DE USAR ESTA AUTOAVALIAÇÃO:

Esta autoavaliação é um forte elemento que o ajudará a aplicar os quatro elementos da quarta dimensão (mentalidade, fé, sonhos, palavra). Utilize-a uma vez que tenha lido todo o livro.

- Pratique um elemento por semana, não mais de um. Verifique suas ações todos os dias e marque o, _ ou x, de acordo com a avaliação.

- Você experimentará uma transformação maravilhosa em sua vida no período de um a quatro meses.

o: Apliquei o elemento ao menos uma vez.

_: Tentei aplicá-lo, mas os resultados não foram satisfatórios.

x: Não consegui aplicá-lo.

Mude sua fé

1. Separei um tempo para ler a Palavra e orar.

   ➤ Esforce-se em ler pelo menos ( ) capítulos e orar ( ) minutos por dia.

2. Orei concentrando-me nas petições em relação às quais não estava convicto.

   ➤ Escreva em uma folha de papel suas petições e ore concentrando-se naquelas em relação às quais não estava convicto.

3. Confie a Deus todo tipo de ansiedade.

   ➤ Determine não guardar nenhum tipo de ansiedade: ( ), ( ), ( ) etc.

4. Tive minimamente comunhão com um irmão ou irmã na fé.

➢ Converse sobre a fé por meio de um encontro, telefonema ou *e-mail* com um irmão ou irmã na fé.

SE VOCÊ TRANSFORMAR A FÉ DA QUARTA DIMENSÃO, SUA VIDA DA TERCEIRA DIMENSÃO SERÁ TRANSFORMADA!

FÉ

"Se podes?", disse Jesus. "Tudo é possível àquele que crê" (Marcos 9.23).

Semana — Conteúdo —

Dom Seg Ter Qua Qui Sex Sáb

1. Separei um tempo para ler a Palavra e orar.
2. Orei concentrando-me nas petições em relação às quais não estava convicto.
3. Confiei a Deus todo tipo de ansiedade.
4. Tive minimamente comunhão com um irmão ou irmã na fé.

CAPÍTULO 5

SONHOS

Onde não há revelação divina, o povo se desvia; mas como é feliz quem obedece à lei! (Provérbios 29.18).

Devemos conceber e viver nos sonhos. Sem profecia, o povo se desvia. Sem profecia, ou seja, sem visão, não há esperança no amanhã. A galinha deve chocar o ovo para que o pintinho consiga quebrar a casca. Devemos conceber os sonhos e as visões de Deus para que esse sonho e essa visão rompam a casca e deem à luz na realidade física.

Que sonhos você tem? É um sonho carnal ou é um sonho que provém de Deus? É importante separar isso, porque mesmo os sonhos de lascívia se manifestam na terceira dimensão física. Existe uma grande diferença entre o desejo carnal e um sonho saudável. O sonho se distingue pela esperança no amanhã e não se relaciona com a injustiça e o pecado. Em contrapartida, o desejo carnal sempre mantém relação com a ilegalidade e o pecado.

Existe uma razão pela qual Moisés fracassou em seu plano para salvar seu povo, quando era jovem. Seu fracasso se deveu ao fato de que ele sonhou segundo seu próprio critério. Por mais que um sonho seja bom e agradável, se ele não provém de Deus, não é mais que uma ambição humana. Abraão e José superaram a dificuldade porque sonharam juntamente com Deus.

Existe um sonho que provém de Deus, que recebemos por meio da comunhão com ele. Deus nos faz sonhar por intermédio da Bíblia, do Espírito Santo, da pregação ou em um momento de oração. O sonho de Deus é imenso em comparação com o sonho do homem. Moisés sonhou com a libertação de seu povo; no entanto, Deus sonhou com a exaltação de Israel entre as nações como uma nação sacerdotal. Deus disse a Moisés: "Vocês serão para mim um reino de sacerdotes e uma nação santa. Essas são as palavras que você dirá aos israelitas" (Êxodo 19.6). Assim, o sonho de Deus é maior e mais amplo.

É por essa razão que devemos sonhar os sonhos ilimitados de Deus. E devemos agarrar-nos a esse sonho por toda a vida, como fez José. É aí que o sonho de Deus nos faz superar qualquer tipo de circunstâncias e obstáculos.

O sonho que provém de Deus pertence à quarta dimensão, é o sonho que domina e se manifesta na terceira dimensão. Eu o convido a avaliar o sonho que você guarda em sua quarta dimensão e a modificar seu sonho da seguinte forma.

1. ESPERE COISAS GRANDES E OCULTAS DE DEUS

Sonhe com coisas grandes e ocultas que
Deus tem preparado para você. Não sonhe

> que seu caminho é como estar à beira de
> um abismo. Espere no sonho de Deus.

Existem momentos em que nos encontramos à beira de um abismo e parece que é impossível sair do problema com nossas próprias forças. Mas a Bíblia afirma que nada é impossível para Deus. Deus nos diz que há esperança quando pensamos que tudo é desesperança. Deus opera coisas grandes e ocultas que nós não conhecemos. Nosso dever é crer, confiar e seguir Deus incondicionalmente, pois essa é a atitude que agrada a Deus. É por isso que devemos esperar e sonhar com um grande milagre por parte de Deus.

Foi no ano de 1965, enquanto esperava um voo de regresso no aeroporto do Rio de Janeiro, Brasil, logo depois de ter dirigido uma cruzada nesse país, que um homem com uniforme da polícia se aproximou de mim e pediu meu passaporte. Pensei que se tratasse de um controle policial. Mas aquele policial desapareceu com meu passaporte. Não podia acreditar. Não tinha nenhum conhecido no Brasil, e nessa época era impossível encontrar um oriental, muito menos um coreano. Os minutos estavam contados. E, depois de tudo o que aconteceu, não pude embarcar no avião. Tampouco tinha dinheiro para dirigir-me a algum outro lugar. De repente, caí de joelhos e comecei a orar, com lágrimas nos olhos:

— Deus, olha para mim. O que devo fazer agora? Acaso não prometeste que para os que amam a Deus e foram chamados conforme o teu propósito todas as coisas concorrem para o bem? Eu te amo, e segundo teu propósito vim ao Rio de Janeiro para pregar tua Palavra. Só o Senhor conhece minha situação. Pai, creio em tua promessa que todas as coisas contribuem para o meu bem. Senhor, fica comigo!

Não podia fazer outra coisa além de orar. Continuei orando, quando um cavalheiro se aproximou do local onde eu estava e me disse:

— O senhor não é o pastor Cho?

Jamais imaginei que alguém se aproximasse de mim para oferecer ajuda e olhei ao meu redor. Estava certo de que era a voz de uma pessoa. Então, respondi:

— Sim, senhor. Sou o pastor Yonggi Cho. O senhor me conhece?

— Claro que sim. Faz dez anos, um amigo meu, Lewis P. Richard, foi à Coreia do Sul como missionário e enviou-me um artigo de um jornal onde aparecia sua foto. Foi muito comovente ler o artigo. Mas que incrível, que prazer vê-lo aqui! Nunca pensei que depois de dez anos iria vê-lo e reconhecê-lo só de olhar. Mas o que está fazendo aqui? Eu vim ao aeroporto para despedir-me de uma pessoa e, de repente, pensei que o senhor podia ser o pastor Cho.

Repentinamente, lágrimas caíram de meus olhos. Era tão imensa a graça de Deus que não podia conter meu pranto. Deus havia respondido à minha oração. Expliquei ao cavalheiro minha situação, e ele me contou que isso era comum no Brasil, especialmente com relação a estrangeiros do Terceiro Mundo.

— Ele não lhe pediu dinheiro? Seguramente não teria levado o passaporte se lhe tivesse dado um pouco de dinheiro. Mas de qualquer maneira me alegro que esteja bem.

Graças à ajuda dessa pessoa, pude regressar a meu país sem inconvenientes. Se Deus não tivesse respondido à minha oração, não me atrevo a imaginar o que me teria sucedido. Deus é um

Deus bom, resgata-nos do abismo. Esse milagre produziu dentro de mim um amor e uma confiança mais profunda em relação a Deus.

Você também pode experimentar o amor de Deus. O milagre não ocorreu porque eu era pastor ou uma pessoa importante. Se você não esmorecer e continuar confiando em Deus, sem abandonar a fé, Deus fará coisas grandes e ocultas que você não conhece. Experimente o milagre por meio da fé.

Coisas grandes e ocultas para a nação de Israel

O êxodo é um excelente exemplo para compreender quão grande e perfeito é o amor de Deus. Deus liberou o povo de Israel dos quatrocentos e trinta anos da escravidão do Egito, por meio da liderança de Moisés. Mas uma primeira muralha impedia o êxodo. O mar Vermelho aguardava a chegada dos israelitas. Atrás, os soldados do exército do faraó vinham com carros, dispostos a matá-los. Era uma situação em que não havia nenhuma opção; adiante, um grande mar; atrás, todo um exército armado. Entre o povo, se levantavam vozes de murmuração.

O povo de Israel clamava, dizendo que não restava outra coisa senão morrer, e todos começaram a murmurar contra Moisés. Foi nesse momento que Deus disse a Moisés:

— Não tenham medo. Fiquem firmes e vejam o livramento que o Senhor lhes trará hoje. Erga a sua vara e estenda a sua mão sobre o mar, e as águas se dividirão.

Deus não havia abandonado seu povo. Quem pensou que o povo de Israel cruzaria o mar Vermelho? O próprio povo de Israel não imaginava isso, tampouco o faraó. Deus tem coisas grandes e ocultas preparadas, que com sabedoria humana é impossível discernir. O mar Vermelho se dividiu em dois quando Moisés ergueu a vara sobre ele. O povo de Israel se arrependeu de ter ofendido a Deus, voltou a agarrar suas mãos de poder e conseguiu cruzar o mar com êxito. No afã de alcançar seus escravos, os egípcios também tentaram atravessá-lo. Mas algo incrível aconteceu: as águas se fecharam sobre os egípcios, sobre seus carros e sobre seus cavalos. O mar acabou arrasando a vida de todo o exército egípcio.

A divisão do mar Vermelho não foi um fenômeno natural: por meio dele, Deus mostrou a seu povo aquelas coisas grandes e ocultas que tinha preparado para ele. Deus não muda e está conosco hoje, sustentando-nos com sua mão de poder. Primeira aos Coríntios 2.9 diz: "Todavia, como está escrito: 'Olho nenhum viu, ouvido nenhum ouviu, mente nenhuma imaginou o que Deus preparou para aqueles que o amam' ". Sonhe, tenha esperança e creia que o amor e a bênção que Deus preparou para cada um de nós são maravilhosos. Algo grandioso ocorrerá em sua vida.

Coisas grandes e ocultas para nós

Deus criou o homem no último dia da criação, como coroa da criação; criou primeiro todas as coisas e depois Adão e Eva, a quem outorgou o poder de dominar e subjugar a Terra. Note que primeiro Deus criou todo o necessário para que o homem, pelo amor de Deus, habitasse a Terra. O mesmo Deus que preparou a criação para que Adão e Eva pudessem habitar a Terra preparou nossa vida para que em Jesus Cristo experimentemos o novo nascimento.

Deus predestinou nossa salvação antes da criação do mundo. Não que tenhamos pecado por acaso e por acaso se abriu um caminho para nossa salvação. A cruz de Jesus Cristo era um evento predeterminado para redimir nossos pecados. Gênesis 3.15 diz: "Porei inimizade entre você e a mulher, entre sua descendência e o descendente dela; este lhe ferirá a cabeça, e você lhe ferirá o calcanhar".

Essa palavra implicava muitos eventos que ocorreriam no futuro. É importante saber que a cruz de Jesus não foi uma casualidade, mas, sim, um plano predeterminado. O Senhor veio a Terra em carne, nasceu do ventre da virgem Maria, o que indica que Jesus, semente da mulher, iria converter-se no inimigo do Diabo. Ou seja, Deus havia antecipado o plano de salvação por meio de Jesus Cristo, antes do momento da queda de Adão e Eva.

Seiscentos anos antes de Cristo, o profeta Isaías profetizou que Cristo morreria crucificado. Isaías 53.4,5 diz:

> Certamente ele tomou sobre si as nossas enfermidades, sobre si levou as nossas doenças; contudo nós o consideramos castigado por Deus, por Deus atingido e afligido. Mas ele foi transpassado por causa das nossas transgressões, foi esmagado por causa das nossas iniquidades; o castigo que nos trouxe a paz estava sobre ele, e pelas suas feridas fomos curados.

Essa passagem da Bíblia nos revela quão determinado estava o plano de salvação. A razão pela qual podemos ser salvos, por meio da fé em Jesus Cristo, deve-se ao fato de que o Senhor preparou o caminho para a salvação.

Foi-nos revelado o segredo de que, por meio da fé em Jesus Cristo, recebemos perdão dos pecados, justificação e salvação. O amor e o poder de Deus são tremendos. É impossível entender a obra de Deus com o intelecto sensorial, porque Deus supera o intelecto. Portanto, devemos crer no que Deus nos preparou. Não devemos cambalear em nenhuma circunstância, mas, sim, crer que Deus predeterminou tudo. A solução não se encontra em nossas mãos, mas nas de Deus.

Recorde o que diz a palavra em Jeremias 33.2,3:

> Assim diz o SENHOR que fez a terra, o SENHOR que a formou e a firmou; seu nome é SENHOR: Clame a mim e eu responderei e lhe direi coisas grandiosas e insondáveis que você não conhece.

Creia na promessa da Palavra e tenha esperança. Temos a bênção de ser pessoas que veremos coisas grandes e ocultas de Deus.

O que devemos sonhar

Devemos sonhar coisas grandes e ocultas. Não devemos sonhar que a escuridão arrasará nossa vida, mas, sim, devemos crer em coisas grandes e ocultas; devemos sonhar com coisas positivas e otimistas, com esperança. E Deus operará coisas grandes e ocultas a nosso favor. Deus operará milagres inimagináveis. Temos de abrir a boca para que Deus a encha de milagres: Deus "é capaz de fazer infinitamente mais do que tudo o que pedimos ou pensamos, de acordo com o seu poder que atua em nós" (Efésios 3.20).

Esta é a história de uma mulher negra que vivia junto com o filho, nos Estados Unidos. Assim que se divorciou do marido, essa mulher mal conseguia sobreviver. No entanto, seu filho insistia, dizendo:

— Mamãe, compre um gato para mim, compre...

O problema é que a mãe não tinha dinheiro suficiente para comprar um gato, e as palavras do filho feriram seu coração.

— Todos os meus amigos têm cães e gatos. Por que não me compra um gato, hein?

Carinhosamente, a mulher disse ao filho:

— Filho, vamos orar a nosso bondoso Deus Pai, está bem? Deus lhe proverá um gato.

Ela tomou a mão do filho e começou a orar a Deus:

— Pai, tu conheces nossa situação. Dá-nos um gato. Não temos dinheiro suficiente para comprar um gato. Deus Pai, suplico-te de todo o meu coração. Tem misericórdia de nós! Em nome de Jesus. Amém.

Assim que terminaram a oração, o filho perguntou:

— Deus nos dará mesmo um gato?

— Sim, querido. Nada é impossível para Deus, um gato não é nada difícil para ele. Esperemos o gato e continuemos orando. Deus ouve nossas orações. Esperemos e sonhemos.

A mulher continuou orando junto com o filho.

Era de tarde, e o sol ardia. A mulher tecia no jardim enquanto o menino brincava com um aviãozinho de papel. De repente, algo extraordinário aconteceu. Tratava-se de um vulto escuro que caiu no jardim de sua casa. Era nada menos que um gato! Tanto a mulher como seu filho ficaram petrificados. Um gato havia caído do céu. Eles começaram a pular e a soltar gritos de júbilo. Deus havia respondido à sua oração. Esse relato foi difundido em todo o país por meio dos jornais e da televisão, em um artigo que se intitulava *Um gato caído do céu.*

Dias depois, alguém veio vê-los e disse que era o dono do gato. Era incrível; por acaso ele era o dono do gato caído do céu? Seu argumento: era um vizinho que vivia a oitocentos metros deles e que não via seu gato desde que este tinha subido em cima de uma árvore; sua explicação era que, por mais que tivesse tentado, não pudera fazê-lo descer. No final, quando o vizinho resolveu inclinar a árvore para alcançar o gato, não conseguiu segurá-la e soltou-a.

Como consequência, o gato voou e caiu a oitocentos metros, no jardim da casa dessa mulher negra. E o homem continuou insistindo em que devolvessem o gato.

No entanto, nem a mulher nem seu filho quiseram devolvê-lo. Disseram que se tratava de um presente de Deus. No fim, o caso foi levado a juízo. Agentes profissionais do tribunal realizaram um estudo do caso; puseram um gato artificial naquela árvore da qual, insistia o vizinho, o gato voara. No entanto, o gato não voava por mais de vinte ou trinta metros. A conclusão a que chegaram os agentes foi que o gato não poderia voar os oitocentos metros. A sentença do tribunal foi: esse gato é um presente de Deus.

É uma história pouco comum. Mas Deus é um Deus que torna essas coisas possíveis. Sonhe com algo inimaginável. Os grandes e pequenos sonhos formarão sua vida. Deus quer que esperemos e sonhemos com grandes milagres. É aí que esses sonhos se convertem em nossos sonhos. Devemos ter a convicção de que Deus preparou algo maravilhoso para a nossa vida. Devemos sonhar que Deus revelará coisas grandes e ocultas. Ore e não esmoreça ao esperar em Deus. O sonho é seu.

2. PROJETE SEU SONHO DETALHADAMENTE

Projete algo claro em seu coração. Escreva-o em uma folha de papel. Ore até receber uma meta clara e ter convicção. Avalie sua meta à luz da Palavra.

Qual é seu sonho? Convido-o a escrever seu sonho em um papel, leia-o e releia-o todos os dias, pois verá como seu sonho se faz realidade. É muito importante que possa visualizar a realização do sonho como uma realidade já estabelecida, pois isso será de fato o que obterá. Espere e creia que seu sonho já é uma realidade palpável.

Projete uma meta clara

Em certa ocasião, dirigi uma conferência sobre crescimento da igreja na Austrália. A atitude dos pastores australianos era negativa, ainda que garantissem que o crescimento da igreja era possível, mas na Coreia do Sul e nos Estados Unidos, e não na Austrália. Seu argumento era que os australianos não iam à igreja porque amavam o esporte e o tempo livre. No último dia da conferência, dei uma sugestão.

— Preparem um lápis e um papel e escrevam a meta da igreja a ser alcançada no final de dois anos; escrevam o número de pessoas da congregação que desejam ter nesse tempo.

Todos começaram a escrever seus sonhos. Cinquenta membros mais em dois anos; cem membros; trezentos; quinhentos membros... enfim, o número era bastante variado. Continuei:

— Colem essa folha no escritório de sua igreja; cada um observe, ore e visualize a realização desse sonho. O Espírito Santo operará um grande milagre.

Após dois anos, visitei novamente a Austrália. Nessa ocasião, o presidente das Assembleias de Deus nesse país, com lágrimas em seus olhos, disse-me:

— Pastor, fazia dez anos que minha igreja não crescia. Mas sonhei, orei e alcançamos 100% de crescimento nesses dois anos. Não só minha igreja, mas todas as igrejas na Austrália estão crescendo.

Era um testemunho vivo de alguém que se atreveu a sonhar e a orar. Graças ao princípio de visualização, uma das igrejas na Austrália cresceu a tal ponto que o número de membros chegou a milhares.

Sonho em implantar no mínimo 500 igrejas em toda a Coreia do Sul. Visualizo de dia e de noite, porque sei que tenho uma meta e um plano específico a alcançar. Também tenho o sonho de dirigir cruzadas de multidões em todo o mundo, é um desejo de pregar o evangelho a todas as nações do mundo. Eu me levanto, eu me deito e vivo com o sonho. A visualização do sonho produz fé e a obra do Espírito Santo. Devemos conceber o sonho de Deus, porque o sonho de hoje se tornará a orientação que criará o futuro.

Conheci um pastor chamado Cabré em uma viagem missionária na América do Sul. O pastor Cabré testemunhou-me as grandes obras que Deus estava fazendo em sua vida.

Uma mulher tinha vindo receber oração junto com seu filho, que não tinha uma orelha. O pastor Cabré, visualizando o menino com uma formosa orelha, começou a orar com muito fervor. Depois de pouco tempo, uma espécie de nódulo começou a formar-se na parte onde o pastor impôs a mão. Ele continuou orando para que Deus criasse uma formosa orelha. E ensinou a mãe do menino a dizer:

— Olhe, que linda orelha você tem!

O pastor disse a ela que acariciasse o menino, visualizando a orelha. Mas nada acontecia. O pastor voltou a orar pelo menino, visualizando uma formosa orelha. Quando abriu os olhos, não podia crer no que via: o tamanho do nódulo aumentara na forma de um leque. Era um milagre de Deus. O que você desenhar hoje na fé, com a ajuda do Espírito Santo, é o que obterá no dia de amanhã.

A meta do sonho da quarta dimensão deve ser específica, porque a realidade física da terceira dimensão não é abstrata, mas uma dimensão específica. Estabeleça e visualize a meta.

Você também deve orar até obter uma meta clara e determinada. O jejum serve para clarear nossa quarta dimensão, ou seja, para definir mais especificamente nossos sonhos. É por meio do jejum que conseguimos abandonar o ego que diz "posso fazer tudo" e voltar-nos para Deus a fim de ser transformados. A mudança da quarta dimensão ocorre quando há uma mudança em nós mesmos e quando reconhecemos detalhadamente o sonho que Deus tem para nós. Portanto, deixe que essa meta clara e específica seja revelada em sua vida por meio da oração.

Estabeleça metas mediante a cruz

Todo atleta, todo chefe de família, todo paciente tem uma meta a alcançar. É nosso dever sonhar esses sonhos a partir de uma perspectiva distinta. Devemos olhar para a cruz de Jesus Cristo e sonhar especificamente que fomos salvos da enfermidade do espírito, da alma e do corpo, assim como das circunstâncias. Não devemos deixar-nos influenciar pelo estado atual de nosso espírito, de nosso corpo e de nossa alma nem pelas circunstâncias, e, sim, aceitar o sonho de Cristo. Em 1Pedro 2.24, encontramos: "Ele mesmo levou em seu corpo os nossos pecados sobre o madeiro, a fim de que morrêssemos para os pecados e vivêssemos para a justiça; por suas feridas vocês foram curados". Devemos aceitar o sonho de Cristo mediante a cruz; a desordem mental será sanada, e veremos o poder de Deus.

Devemos visualizar a bênção de Abraão e a meta de nossos sonhos mediante a cruz. É preciso desfazer a desordem mental da maldição e da pobreza e aceitar a bênção e a prosperidade de Abraão que há em Cristo, pois é esse o sonho que Cristo tem para nós. Gálatas 3.13 diz: "Cristo nos redimiu da maldição da Lei quando se tornou maldição em nosso lugar, pois está escrito: Maldito todo aquele que for pendurado num madeiro".

Devemos estabelecer metas mediante a cruz de Cristo. A meta final do cristão não se encontra neste mundo, mas se estende até o reino eterno. Em 2Coríntios 5.1, lemos: "Sabemos que, se for destruída a temporária habitação terrena em que vivemos, temos da parte de Deus um edifício, uma casa eterna nos céus, não construída por mãos humanas". Ponha seus olhos em Jesus, que levou a cruz sobre si. E sonhe. Nossa esperança não se limita ao que é terrestre; antes, vai além dos céus.

3. COMECE PELO PEQUENO

Assim como um bebê cresce na incubadora, deixe que seu sonho vá crescendo. Caminhe junto ao Espírito Santo, seja fiel no pouco e supere as adversidades.

Uma vez que tenha concebido um sonho mediante a cruz, você deve semeá-lo, para depois colhê-lo. Apesar das adversidades, se você consegue semear a semente do sonho que concebeu com a ajuda do Espírito Santo, essa semente dará fruto, crescerá, vencerá e transformará a terceira dimensão. O sonho transformará a morte em vida, a escuridão em luz, a pobreza em riqueza. A mudança de vida se origina de uma mudança no sonho da quarta dimensão. Sonhe, semeie e realize seu sonho.

Prepare-se para a realização do sonho

Todos desejam uma mudança na vida e a realização de seus sonhos, mas são poucos os que se preparam para isso. Para alcançar o sonho, é imprescindível a preparação. Se você tem um sonho, deve ter convicção de que o sonho será alcançado e agir como se ele já tivesse se realizado. Daí, a necessidade de preparação. Para aquele que não se prepara, seu sonho continuará sendo um sonho, e será difícil alcançá-lo.

O templo central da Igreja do Evangelho Pleno de Yoido utilizado hoje é um templo que foi reconstruído e ampliado de dentro para fora. Ao ver que minha igreja apresentava um crescimento explosivo, fiz um plano de construção de um complexo ao redor do templo central: o departamento de educação, dois centros para as missões e um edifício para o jornal diário *Kukmin*; também senti que devia reconstruir o complexo do monte da oração, porque sabia que muita gente necessitava ter uma comunhão mais íntima com Deus em um lugar isolado da cidade. Mas só contava com 2 mil dólares no bolso.

O custo aproximado da construção era de 2 milhões de dólares. Mas Deus proveu todos os recursos. Deus é meu capital. Lembre-se: a visão e a paixão precedem as finanças, porque Deus provê nossas necessidades.

Existem prioridades na obra de Deus. Primeiro, devemos avaliar se algo é da vontade de Deus. Segundo, devemos estabelecer metas claras. Terceiro, necessitamos ter paixão para alcançar a meta. Quarto, temos de crer que Deus nos ajudará.

Uma vez que tenha respeitado essas prioridades, é o momento de fazer contas na calculadora e pagar o preço. Em meu caso, sigo adiante crendo que Deus proverá aos recursos. As circunstâncias e as adversidades nunca são um impedimento. Só caminho pela fé, porque é Deus quem cumpre sua palavra.

Como pais, preparamos a roupa, os sapatos e o berço mesmo antes de o bebê nascer. O mesmo acontece com nossos sonhos. Uma vez que tenha concebido o sonho, você deve se preparar para as alternativas reais e saber que prosseguirá pelo poder do Espírito Santo, pois essa é a única forma de conceber um sonho. Um sonho não é algo que se cumpre, e, sim, algo que nasce. Prepare a cama onde o sonho recém-nascido possa descansar.

Prepare-se. O sonho de Deus vai além de nosso entendimento. Ele quer que o evangelho seja pregado em todo o mundo por meio da igreja. Devemos trabalhar para alcançar o sonho de Deus. Deus é nosso capital maior. Deus não nos desapontará enquanto caminharmos em fé e confiarmos em seus recursos.

Ore até alcançar o sonho

Gênesis 17 diz que Deus prometeu a Abrão um filho quando Abrão tinha 99 anos de idade. Abrão e Sarai não tinham filhos. Mas Deus lhes disse que chamara as coisas que não são como se fossem. Abrão tinha 99 anos, e sua esposa, 89. Já eram anciãos de idade e sem filhos. No entanto, Deus mudou o nome de Abrão para Abraão e o de Sarai para Sara, que significam "pai de multidão" e "mãe de multidão".

Eles não tinham filhos, mas para Deus os filhos já tinham vindo. O significado da frase que diz que Deus chama as coisas que não são como se fossem é que para Deus o tempo é presente. Portanto, para Deus, Isaque já havia nascido. Mas Deus ordenou que chamassem as coisas que não são como se fossem, porque o homem não conseguia ver com seus olhos físicos.

O cristão deve chamar as coisas que não são como se fossem e confessá-las. O Senhor Jesus disse: "Portanto, eu lhes digo: Tudo o que vocês pedirem em oração, creiam que já o receberam, e assim lhes sucederá" (Marcos 11.24). Isso significa que devemos visualizar, pensar e crer nas coisas que não são como se fossem e que devemos crer que as recebemos, ainda que não sejam palpáveis neste momento.

O Senhor Jesus disse: "Eu lhes asseguro que se alguém disser a este monte: 'Levante-se e atire-se no mar', e não duvidar em seu coração, mas crer que acontecerá o que diz, assim lhe será feito"

(Marcos 11.23). O que implica que devemos ter convicção de que o monte será arrancado e lançado ao mar ainda antes de termos mencionado tais palavras.

Outra coisa bem importante é orar com muito fervor. Então, até quando devemos orar? Devemos orar até que o Espírito Santo nos dê convicção do que é suficiente e do que não é e nos diga: agora basta. Isso é algo que você certamente já experimentou.

Em minha experiência pessoal, quando oro pela primeira vez por algo novo, sinto que existe uma distância muito grande entre minha pessoa e a resposta. Mas quando insisto em oração e digo: "Deus, responde, responde", sinto que a resposta se aproxima.

De repente, um dia recebo a convicção de que minha oração foi respondida. É aí que começo a pensar, visualizar e confessar o que não é como se fosse.

Existem muitas pessoas que vão ao monte da oração para receber saúde. Antes de chegar ao monte, a saúde parece algo muito distante. Mas, depois de orar durante um, dois ou três dias, chega um momento em que a pessoa recebe a convicção de que foi curada e confessa: "Fui curado!". Mas a saúde ainda não chegou. Lembre-se de que a figueira não secou no mesmo instante, mas um dia depois que Jesus a amaldiçoou. A convicção está presente, mas também a enfermidade. Não obstante, alguns dias após regressar do monte da oração, a enfermidade desaparece.

Existe um lapso entre a convicção e o cumprimento. Por exemplo, pense na erva do campo. Se você arranca a erva, ela não seca no mesmo instante, pois, ainda que já esteja morta, isso requer um pouco mais de tempo. Da mesma forma, o que recebemos já existe, mas necessita de tempo para que se manifeste na realidade.

Uma irmã de minha igreja não podia nem sequer subir as escadas, em virtude de um problema no coração. Os médicos a aconselharam a submeter-se a uma cirurgia; a artéria coronária estava obstruída. Mas essa irmã decidiu dirigir-se ao monte da oração.

— Deus Pai! Aqui está o dinheiro necessário para a operação. Eu o ofereço a ti, Pai. Quero que tu me operes diretamente.

Sei que isso soa estranho para um incrédulo. Se a artéria está entupida, como alguém poderá salvar sua vida sem uma cirurgia? Contudo, enquanto ela orava, sentiu uma forte convicção do Espírito Santo que lhe dizia que tinha sido curada.

— Salte!

Era a voz do Senhor. Todavia, um movimento brusco podia levá-la à morte. Mesmo assim, sua convicção levou-a a levantar-se e a dar saltos. Estranhamente, não teve problemas respiratórios. De repente, ouviu uma voz que dizia:

— Quero que você suba ao cume de Elias e volte.

O cume de Elias é o cume do monte da oração e é bastante difícil de subir, mesmo para uma pessoa normal, saudável. No entanto, a irmã não hesitou em subir ao cume de Elias e voltou sem problemas. Era um milagre de Deus! O segredo do milagre é crer e visualizar o que não é como se fosse.

Diante de um pedido, devemos orar sem cessar até que tenhamos recebido a convicção da resposta. Devemos orar com fervor, por mais que a meta nos pareça demasiado difícil de alcançar. O esposo ou a esposa incrédula, o sonho quanto aos filhos, o trabalho, a enfermidade... são como uma grande montanha. Ore por aquela meta, visão e sonho que parecem inalcançáveis ante seus olhos e não cesse de fazê-lo até que tenha recebido convicção de que seu pedido foi respondido.

Visualize a realização do sonho e seja fiel no pouco

O herdeiro da indústria de aço de Carnegy chama-se Charles Swab. Formado apenas na escola primária, começou a trabalhar na fábrica como um peão em todo tipo de trabalho. Apesar de sua posição não ser algo nobre, nunca perdeu o sonho e era fiel em tudo o que lhe encomendavam. Foi fiel pensando que ele era o dono da empresa e sonhava com um amanhã de êxito.

Limpava cada canto da fábrica todos os dias, como se fosse sua casa e como se ele fosse o dono da fábrica. Seus colegas o criticavam. Mas ele limpava a fábrica em dias de sol ou de chuva, sonhando que a fábrica era de sua propriedade. A atitude desse trabalhador terminou comovendo o coração de toda a gente. Sua fidelidade serviu como mérito para começar a trabalhar como um empregado no departamento de limpeza.

Assim que ascendeu como empregado, continuou trabalhando com a mesma fidelidade de antes. Sua atitude fiel foi difundida de boca em boca, e o presidente da empresa, Carnegy, decidiu contratá-lo como seu secretário pessoal. Esse homem continuou sendo fiel em seu novo posto de trabalho e serviu como porta-voz do presidente. Sua filosofia de trabalho era: sou o dono da empresa, portanto devo trabalhar com a mentalidade de que, se alguém me obriga a levar uma carga por uma milha, devo ir com ele duas milhas; e se alguém me pede a túnica, devo dar-lhe também a capa. E trabalhou fielmente.

O presidente Carnegy, comovido pela fidelidade de seu secretário, ofereceu-lhe um incentivo de 1 milhão de dólares, quando o salário anual de seu secretário era de 2 a 3 mil dólares. E, à vista de todos os seus empregados, Carnegy disse que o sonho e a fidelidade de Charles eram algo imensurável.

Quando chegou o momento da aposentadoria de Carnegy, todos os empregados começaram a se perguntar quem iria sucedê-lo nessa grande empresa. Alguns afirmavam que algum graduado da Universidade de Harvard ou Princeton ou algum filho de um empresário importante iria substituí-lo no cargo de presidente.

Carnegy, porém, nomeou Swab o novo presidente da indústria de aço, o qual havia começado como peão e trabalhado no departamento de limpeza e, por fim, servido fielmente a Carnegy como seu secretário.

Isso causou um grande impacto em todo mundo, até no próprio Swab. Carnegy enfatizou que sua empresa deveria ser dirigida não por uma pessoa com títulos de estudos avançados, mas por alguém com amor, fidelidade e sonhos com relação à empresa. Em outras palavras, Charles era o homem em quem Carnegy confiava, por seu amor, fidelidade e sonhos em relação à empresa.

Eu o exorto a que dê o melhor no lugar onde se encontra. O Senhor está com você e quer ajudá-lo. Seja fiel no pouco. Deus vê tudo e conhece as fibras mais íntimas de nosso coração. Deus nos exaltará a seu tempo. Ponha seu olhar em Deus e seja fiel no que lhe foi confiado.

O túnel da aflição leva-o à realização do sonho

Não se alcança o sonho por acaso. É necessário que se passe primeiro pelo túnel da aflição. Ou seja, existe um preço a pagar. É por meio da aflição que abandonamos nosso ego e confiamos em Deus. Deus usa a aflição como uma ferramenta para nos quebrantar, para fazer-nos voltar a seu caminho. Deus predestinou todas as coisas para nossa vida. Deus nos abençoa à medida que caminhamos e não nos afastamos do caminho que ele preparou.

É imprescindível visualizar e pagar o preço para alcançar o sonho. A aflição é o plano de Deus para quebrantar nosso ego e fazer-nos obedientes a ele. A aflição ajuda nossa fé a crescer e a faz mais vigorosa. Só aquele que experimentou a aflição e a tribulação poderá alcançar seu sonho e destacar-se por sua firmeza.

Os músculos do braço adquirem força por meio do exercício. Da mesma forma, os músculos de nossos sonhos ganham força por meio da aflição e da tribulação. A aflição é a semente que leva consigo um sonho e uma esperança maior. É como um túnel, e você precisa ultrapassá-lo. A aflição é o túnel que nos leva ao sonho. Se você se nega a passar pelo túnel, seu sonho jamais poderá ser alcançado. É necessário passar para o outro lado do túnel. É através do túnel da tribulação que conseguimos chegar a um mundo mais amplo de sonhos e de esperanças.

Em 1 Pedro 1.7, lemos: "Assim acontece para que fique comprovado que a fé que vocês têm, muito mais valiosa do que o ouro que perece, mesmo que refinado pelo fogo, é genuína e resultará em louvor, glória e honra, quando Jesus Cristo for revelado". A aflição é como um prato de comida que se encontra sobre uma mesa chamada sonhos, porque o sonho tem um preço. É necessário comer a aflição para alcançar o sonho.

O sonhador recupera as forças ao alimentar-se da aflição, para seguir adiante. Para quem sonha, a aflição e a tribulação não significam nada, porque quem sonha sabe que a aflição é parte do processo para chegar à realização de seu sonho.

4. GUARDE O SONHO DA ESPERANÇA E ENGRANDEÇA-O

Não é necessário frustrar-se pelo fato de o
sonho ainda não ter se manifestado. Espere.

> Medite na aflição da cruz e converta-se em um
> agente da esperança.

Você crê que Deus sempre está com você e que sempre o protegerá? Temos esperança, porque sabemos que o Senhor estará continuamente a nosso lado, para ajudar-nos. Tudo podemos em Cristo. Visualize, creia, sonhe e ore, porque Deus operará o milagre. Guarde a esperança de Deus em seu coração e ore com fervor. Você é alguém escolhido por Deus.

Mensagem de esperança

Implantei minha igreja em 1958, assim que concluí o seminário, em uma área muito pobre da cidade de Seul, chamada Bul-kwang-dong. Por causa da guerra em meu país, abundavam o caos e a desordem, assim como também a pobreza e a doença. A maioria dos habitantes da cidade era de refugiados ou pessoas que tinham vindo do interior do país. A área onde eu estava se caracterizava como uma das mais pobres de toda a cidade. Foi no meio desse ambiente que comecei a pregar o evangelho. Era uma das áreas onde se fazia mais necessário a resplandecência da luz da esperança de Deus.

— Arrependam-se, e recebam Jesus Cristo! Cada um de vocês é filho de Deus! Creia em Jesus, e terá vida eterna!

Apesar de minha mensagem apaixonada, todos se mantinham indiferentes. O povo de Dae-jo-dong era muito inseguro nessa época, pois essa era uma área onde vivia a população mais pobre e com problemas: quadrilhas, alcoólatras e pessoas que padeciam de enfermidades de todo tipo. Nesse vale de frustração, aconteceu algo que mudou o rumo de meu ministério.

Ao caminhar pela vila miserável, notei uma casa que estava a ponto de cair. Em um gesto atrevido, bati à porta e disse:

— Tem alguém aí?

No mesmo instante, uma mulher abriu a porta e perguntou:

— Quem é você?

Era uma mulher de nome Lee Cho Hee, que tinha vindo da província de Hamkyung-Do, Coreia do Norte, por causa da guerra. Vivia com nove filhos e um esposo viciado em álcool. Além do mais, a mulher estava definhando, pois tinha problemas de coração e gastrintestinais. A vida dessa mulher era algo indescritível. Então decidi levá-la a Cristo. Eu a visitava todos os dias para falar-lhe sobre o Reino dos céus. Mas a mulher se irritava e dizia que todos os religiosos eram mentirosos e que sua vida era um inferno mesmo.

— Não me interessa o que acontecerá depois de minha morte. Não me interessa se existe um inferno, porque minha vida é o inferno mesmo. Observe como vivo. Preciso viver bem agora, e não depois de minha morte. Vá embora daqui!

Fui para pregar a ela, mas no final terminei ouvindo uma pregação. Para dizer a verdade, ela tinha toda a razão. Pensativo, voltei para minha igreja, que nessa época era uma tenda. As palavras daquela mulher seguiram retumbando em meus ouvidos. O Reino dos céus deveria manifestar-se agora em nossa vida. Pensei: ela tem razão! Necessitamos do Reino dos céus agora mesmo, e não depois da morte. O Deus que nos ama por acaso não deseja que sejamos felizes também nesta vida?

A humanidade foi criada pelo amor de Deus, mas tem se revelado contra Deus. Como consequência, o homem teve de levar consigo a carga do pecado. Contudo, Deus teve compaixão de nós e enviou seu filho Jesus Cristo para que, mediante a cruz, ele tomasse nossas maldições, nossa morte e nossas dores. Nosso destino era o pecado, mas Deus nos salvou por meio de Jesus Cristo.

Devemos somente crer em Jesus para receber vida eterna. Então prosperamos em todas as coisas e temos saúde, assim como prospera nossa alma. Essa é uma bênção universal, e não só para alguns escolhidos. Por meio da cruz, Deus nos salvou de forma integral. A mensagem da cruz não trata apenas da salvação do espírito, mas também da salvação da alma, do corpo e das circunstâncias. Em outras palavras, a salvação é integral, e essa é a mensagem do evangelho. Porventura existe um amor maior que esse?

É por meio da fé que recebemos o perdão dos pecados, é por meio da fé que recebemos libertação de toda maldição, é por meio da fé que obtemos saúde e salvação. Em minha vida pessoal, experimentei um encontro com Jesus Cristo por meio da esperança na fé. Foi em um estado de desesperança absoluta que, por intermédio da leitura bíblica, descobri a coluna de fogo da esperança. E agora me converti em um servo de Deus. Cada vez, sinto mais a importância da esperança em nossa vida.

Eu não podia tirar aquela mulher de minha memória. E pensei que ela também necessitava de uma mensagem de esperança. Então decidi voltar a vê-la.

— Senhora, convido-a a mudar seu destino!

A mulher ficou um pouco surpreendida e disse:

— Antes você vinha me falar sobre o Reino dos céus, agora vem me falar de destino.... Mas que tipo de pastor é você? Vá embora daqui!

Ela começou a falar com ironia, mas insisti, dizendo:

— Conheço alguém que pode mudar seu destino. Você me acompanha? Ele ajudará seu esposo a abandonar o álcool, seus filhos a ir à escola e lhe proporcionará tudo o que necessitar. Acompanhe-me!

Ao ouvir essas palavras, a mulher mudou de atitude e abriu um pouco seu coração.

Atravessei um arrozal e cheguei à tenda, mas dessa vez acompanhado por aquela mulher.

— O que é isso?

— É minha igreja.

A mulher lançou um olhar a cada canto da tenda e, segurando a barriga, caiu na gargalhada.

— É você quem precisa mudar de destino. Diga a essa pessoa que o ajude a mudar de destino.

Estou certo de que, se você estivesse ali comigo, também teria dado boas gargalhadas. Mas eu disse a essa mulher em um tom sincero:

— Tem razão. Minha situação não se diferencia da sua. Mas temos esperança em Jesus Cristo. Pela fé em Jesus Cristo, não só obtemos vida eterna, como também somos abençoados materialmente, somos libertos da maldição, somos curados da enfermidade e recebemos a vida da ressurreição. Convido você a crer em Jesus Cristo.

A mensagem de esperança conseguiu apagar o fogo de sua ira. E a mulher começou a frequentar minha igreja todos os dias. Falávamos de esperança, e eu orava por ela. Um dia, aconteceu algo incrível: ela foi curada dos problemas cardíacos e estomacais, e, após um período de oração de três meses, seu esposo abandonou o álcool e começou a frequentar a igreja. Era um milagre.

Deus havia operado o milagre. Além disso, graças à ajuda de uma associação civil dos habitantes da província de Hamkyung-Do, ele conseguiu um emprego e, assim, já podia sustentar a família. Seus filhos começaram a ir à escola. Era uma época em que se podia construir qualquer tipo de casa, bastando para isso ser proprietário do terreno. Ajudamos a família a comprar um terreno e a construir uma moradia.

A vida dessa mulher já não era mais um inferno, porque havia experimentado o milagre, prosperava em todas as coisas e tinha saúde, do mesmo modo que prosperava sua alma. A mensagem de esperança que Deus proveu àquela mulher também comoveu minha vida.

Essa experiência impactou meu ministério profundamente. A partir desse momento, comecei a pregar a mensagem de esperança com mais empenho. Como consequência, a igreja da tenda cresceu, a 500 membros em apenas três anos. O povo tornou a pobreza e a desesperança em esperança. Os membros da minha igreja começaram a orar e a trabalhar com mais dedicação. Conseguimos adquirir um terreno para construir uma igreja maior.

Em 1961, nos mudamos para Seodaemun. Muitos caçoaram de mim quando abri minha igreja em uma área central, porque nessa área se cruzavam duas avenidas e estavam quatro das maiores igrejas da Coreia do Sul. O povo caçoava de mim, dizendo que um jovem de apenas 26 anos de idade e sem muita experiência pastoral perderia na competição com as igrejas maiores.

Entretanto, eu não estava de acordo, porque em mim havia uma esperança. A partir de 1960, nossa nação começou a progredir a passos gigantescos. O presidente Park Jeong Hee tinha iniciado o movimento Semaul, que resultou no progresso industrial, e muita gente vinha a Seul para conseguir trabalho.

Os que vinham do interior do país formaram sua própria comunidade em Ahyeon-Dong e Hyeonjeo-Dong. Era gente humilde, sem dinheiro e de baixa escolaridade. O povo superava o frio do inverno com carvão, o que provocava muitas vezes incêndios por causa do vento. Mas não havia alternativa. Senti que também necessitavam de uma mensagem de esperança. Pensei que essa triste realidade era nada menos que uma oportunidade que Deus me dera para pregar o evangelho. Não se tratava de uma ética ou de uma religião, nem sequer do próprio cristianismo, mas de uma mensagem de esperança que dizia que, por meio da fé em Jesus Cristo, o indivíduo podia receber a salvação integral. Essa foi a razão pela qual muitos servos de Deus e denominações me criticaram. No entanto, não retrocedi um passo sequer, continuei pregando a mensagem de esperança.

Multidões de pessoas se aproximavam de minha igreja para ouvir a mensagem de esperança. Algumas denominações nos criticavam por orar clamando em voz alta. Diziam-nos que a igreja era um lugar santo e que não deveríamos clamar ou louvar a Deus com palmas e gritos de júbilo. Para dizer a verdade, as pessoas de classe alta e média não necessitam chorar e clamar a Deus com todo o coração. Mas minha igreja era constituída por pessoas sem dinheiro, sem educação e sem apoio algum. Aqueles que estão em um mundo de desesperança não podem fazer outra coisa além de ouvir a mensagem de esperança e consagrar sua vida diante de Deus.

Sem lágrimas, seria impossível para eles deixar de lado o estresse e a opressão da vida. Esse é o motivo pelo qual eu disse que era bom chorar diante da presença de Deus, chorar diante de Deus na casa do Pai. E todos os aflitos e necessitados vinham e choravam na igreja, a tal ponto que a oração em uníssono parecia um funeral, e o louvor, uma festa, pois usávamos as palavras para louvar a Deus.

Era assim que o povo se livrava do estresse e alcançava a paz do coração. A salvação espiritual e a fé sólida fizeram a reunião

119

da congregação resultar em cura divina. Deus viu nossa fé e veio em nosso socorro.

Eu me dei conta de que isso era o mais importante para as pessoas e que deveria semear nelas a semente da esperança e dos sonhos. É por isso que não hesito em visitar lugares onde o povo necessita de esperança e de sonhos. Viajei o que equivale a oitenta voltas em torno da Terra. Estive na África, nos Estados Unidos, na Europa, na América Latina e em cada canto do Planeta. Percebi que todos desejavam a esperança e os sonhos, porque o homem foi criado segundo a imagem de Deus, e o próprio Deus é esperança e sonhos. Portanto, podemos sonhar sonhos preciosos em Deus.

A teologia da esperança

O reconhecido teólogo alemão Jürgen Moltmann sustenta que sua teologia é a *teologia da esperança*.

A Segunda Guerra Mundial estourou quando ele tinha apenas 17 anos de idade. Foi recrutado como soldado pelo governo alemão, mas acabou sendo capturado como prisioneiro. Passou por um período de frustração e desesperança no acampamento de prisioneiros na Inglaterra, sofrendo todo tipo de maus-tratos. Além do mais, sua frustração cresceu quando escutou a notícia de que seu povoado natal havia sido devastado por causa de um bombardeio e, como consequência, toda sua família havia morrido.

O jovem Moltmann, ao saber que tanto seu país como seu povoado natal haviam sido destruídos, bem como a vida de toda a sua família, enquanto ele mesmo sofria no acampamento de prisioneiros em um estado de desesperança absoluta, decidiu acabar com a vida.

Um dia, um pastor aproximou-se do jovem Moltmann e presenteou-o com uma Bíblia. O jovem leu a passagem da Bíblia que narra como Jesus fora crucificado e morto na cruz. Jesus viera ao mundo, sendo o Filho de Deus, mas o mundo não o aceitou. Jesus fez bem a todas as pessoas e curou os enfermos.

No entanto, essa multidão que havia recebido benefícios de Jesus acabou pedindo que crucificassem o Messias. Os discípulos também traíram o Mestre e fugiram dele. Jesus foi abandonado, ficou só e morreu na cruz. O jovem Moltmann percebeu um ponto em comum entre a aflição de Jesus e seu estado de desesperança absoluta.

Contudo, Jesus venceu a morte e ressuscitou ao terceiro dia. Isso impactou a vida desse jovem. Ao observar a ressurreição de Jesus, ele disse a si mesmo: "Eu também posso experimentar a ressurreição. Meu país, meu povoado natal, minha família também poderão ressuscitar se simplesmente eu receber Jesus Cristo em meu coração". Dessa maneira, nasceu a famosa teologia da esperança de Moltmann.

Ele se deu conta de que só Jesus Cristo pode outorgar ressurreição em meio à desesperança mais escura. E o jovem recebeu Jesus Cristo como seu Salvador pessoal, ali mesmo, no acampamento de prisioneiros. A certeza da ressurreição transportou-o das trevas para a luz, da desesperança para a esperança.

O coração do homem se dirige à morte quando lhe falta um sonho. Não se trata de vestir-se, alimentar-se bem ou levar uma alta qualidade de vida. O sonhador supera qualquer tipo de circunstâncias. O homem, por natureza, deseja sobreviver, e a esperança é a força que engrandece o desejo de viver.

Em 1 Timóteo 1.1, encontramos: "Paulo, apóstolo de Cristo Jesus, por ordem de Deus, nosso Salvador, e de Cristo Jesus, a nossa esperança". A esperança de Paulo não era outra coisa senão o próprio Jesus Cristo.

O apóstolo conseguiu superar a tempestade da aflição e as adversidades por causa da esperança em Cristo. Quando esteve encarcerado, Paulo escreveu aos cristãos exortando-os a não perderem a alegria. E isso indica o nível de esperança que o apóstolo tinha. Dessa forma, também pregou acerca da direção de Deus e da esperança mesmo quando o barco que o levava a Roma enfrentou uma grande tempestade.

Nunca deixe de sonhar o sonho da esperança

A ambição pessoal não é algo digno de ser anunciado e compartilhado. Mas a esperança perfeita em Cristo se multiplica quando a anunciamos. A esperança lança raízes profundas e cresce sobre a rocha da fé, quando a tornamos conhecida. O ato de consolar, falar de esperança, abençoar uns aos outros faz o sonho da esperança levantar voo e influenciar a fé de outros.

O sonho de hoje é a esperança do futuro de uma pessoa. O sonho é o espelho onde se reflete nosso presente. Existe uma razão fundamental pela qual prego o Evangelho Quíntuplo e a Bênção Tripla.

A meta é que as pessoas concebam o sonho mediante a cruz, o sonho de prosperar em todas as coisas e ter saúde, assim como prospera nossa alma. Por mais que nossas circunstâncias se apresentem adversas a nós, o sonho é o elemento que subjuga e transforma a terceira dimensão, porque o sonho incuba a terceira dimensão física e material.

Por mais que a realidade seja um caos, uma grande desordem, as circunstâncias mudam ao serem incubadas, e isso transforma a morte em vida, o caos em ordem, as trevas em luz, a pobreza em prosperidade. Não deixe de sonhar em Deus. E mantenha um alto nível de esperança. Sua vida será transformada.

LISTA DE VERIFICAÇÃO DO CAPÍTULO 5

SONHOS

1. Espere coisas grandes e ocultas de Deus

Sonhe com as coisas grandes e ocultas que Deus deixou preparadas para você. Não sonhe que seu caminho é como estar à beira de um abismo. Espere no sonho de Deus.

2. Projete seu sonho detalhadamente

Projete algo claro em seu coração. Escreva-o em uma folha de papel. Ore até receber uma meta clara e ter convicção. Avalie sua meta à luz da Palavra.

3. Comece pelo pequeno

Assim como um bebê cresce na incubadora, deixe que seu sonho vá crescendo. Caminhe junto ao Espírito Santo, seja fiel nas poucas coisas e supere as adversidades.

4. Guarde o sonho da esperança e engrandeça-o

Não é necessário frustrar-se pelo fato de o sonho ainda não ter se manifestado. Espere. Medite na aflição da cruz e converta-se em um agente da esperança.

ANTES DE USAR ESTA AUTOAVALIAÇÃO:

- Esta autoavaliação é um forte elemento que o ajudará a aplicar os quatro elementos da quarta dimensão (mentalidade, fé, sonhos, palavra). Utilize-a uma vez que tenha completado toda a leitura do livro.

- Pratique um elemento por semana, e não mais de um. Verifique suas ações todos os dias e marque o, _ ou x, de acordo com a avaliação.

- Você experimentará uma transformação maravilhosa em sua vida dentro do período de um a quatro meses.

o: Apliquei o elemento ao menos uma vez.

_: Tentei aplicá-lo, mas os resultados não foram satisfatórios.

x: Não consegui aplicá-lo.

Mude seus sonhos

1. Tenho esperado que Deus me mostre coisas grandes e ocultas.

   ➢ Escreva em um papel os sonhos ( ), ( ) que Deus tem em relação a você.

2. Escrevi minhas metas e as li várias vezes.

   ➢ Escreva suas metas especificamente e leia-as em voz alta ( ) vezes ao dia.

3. Cri na realização de meu sonho e trabalhei para consegui-lo.

   ➢ Reservei ( ) horas diárias exclusivamente para dedicá-las à realização de meu sonho.

4. Examinei minuciosamente minha esperança e dei graças ao Senhor.

➤ Dei graças ao Senhor e nunca perdi o sonho da esperança.

SE VOCÊ TRANSFORMAR OS SONHOS DA QUARTA DIMENSÃO, SUA VIDA DA TERCEIRA DIMENSÃO SERÁ TRANSFORMADA!

SONHOS

Onde não há revelação divina, o povo se desvia; mas como é feliz quem obedece à lei! (Provérbios 29.18).

Semana — Conteúdo —

Dom Seg Ter Qua Qui Sex Sáb

1. Tenho esperado que Deus me mostre coisas grandes e ocultas.
2. Escrevi minhas metas e as li várias vezes.
3. Cri na realização de meu sonho e trabalhei para consegui-lo.
4. Examinei minuciosamente minha esperança e dei graças ao Senhor.

CAPÍTULO 6

PALAVRA

A língua tem poder sobre a vida e sobre a morte; os que gostam de usá-la comerão do seu fruto (Provérbios 18.21).

A palavra foi um elemento muito importante na criação do Universo. O plano da criação necessitava de que Deus proclamasse a palavra para entrar em ação e manifestar-se na realidade física.

A palavra de Deus tem um poder criativo. O homem, criado segundo a imagem e semelhança de Deus, também possui parte desse poder criativo, o qual não é perfeito, mas parcial. As palavras negativas produzem elementos negativos. Em contrapartida, as palavras positivas, produtivas e criativas baseadas no poder de Deus produzem circunstâncias positivas e criativas.

É fundamental conhecer a importância da palavra para fazer uso correto dela. As palavras machucam o coração, mas também saram as feridas. Devemos primeiro reconhecer quanto a palavra é importante.

Uma palavra é um elemento importante capaz de vivificar ou destruir o homem. A Bíblia enfatiza a importância da língua. Em Provérbios 18.21, lemos: "A língua tem poder sobre a vida e sobre a morte". Tiago 3.6 diz: "Assim também, a língua é um fogo; é um mundo de iniquidade. Colocada entre os membros do nosso corpo, contamina a pessoa por inteiro, incendeia todo o curso de sua vida, sendo ela mesma incendiada pelo inferno". O versículo 8 do mesmo capítulo diz: "A língua, porém, ninguém consegue domar. É um mal incontrolável". A espada mata uma só pessoa por vez, mas a língua é como uma bomba atômica e pode chegar a destruir a vida de muitas pessoas.

O princípio do bumerangue

A palavra é como o bumerangue. As palavras que alguém profere não somente influenciam os que estão à sua volta, mas também acabam influenciando a própria pessoa.

Em certa ocasião, Leonardo Da Vinci trabalhava em uma importante obra, quando uns garotos entraram em seu ateliê correndo, e um deles derramou a aquarela em que ele trabalhava. Diante do sucedido, Da Vinci irritou-se e ordenou-lhes que saíssem de seu ateliê imediatamente.

Os meninos, chorando, saíram do lugar, e Da Vinci voltou a pegar o pincel. Mas estranhamente, apesar de seu esforço, não podia continuar sua obra. Logo após, se deu conta de qual era o problema e foi em busca dos garotos que haviam saído de seu ateliê chorando. Ele lhes pediu perdão, os meninos voltaram a sorrir, e Da Vinci voltou a trabalhar em sua obra.

Do mesmo modo, a palavra afeta tanto os outros como a própria pessoa. A Bíblia ensina: "A conversa do insensato traz a vara para as suas costas, mas os lábios dos sábios os protegem"

(Provérbios 14.3). "Do fruto de sua boca o homem se beneficia, e o trabalho de suas mãos será recompensado" (Provérbios 12.14).

A palavra deve submeter-se à Palavra de Deus e ao poder do Espírito Santo

A palavra deve estar sob controle, visto que ela tem poder em si mesma. E o melhor mestre é o Espírito Santo. Para discernir quando e o que devemos dizer, basta nos mantermos sensíveis ao Espírito Santo, o que reduzirá os erros da língua. Deus se agrada quando confessamos palavras que vivificam, fortalecem e enriquecem outros.

O sábio sabe que a palavra atrai bênção ou maldição e que Deus pedirá contas de toda palavra ociosa. Portanto, tenha cuidado com o que diz. Na verdade, todos cometemos muitos erros ao falar. A Bíblia ensina que nenhum homem pode domar a língua (veja Tiago 3.8). O silêncio é sabedoria, e o abster-se de falar muito é paz.

A autoridade da palavra se obtém por meio do Espírito Santo, da Palavra de Deus e da oração. É aí que nossa linguagem se converte em um elemento da quarta dimensão de Deus. A palavra sujeita ao Espírito Santo revela o poder criativo e produtivo na esfera da terceira dimensão. Pronuncie palavras espirituais da quarta dimensão. Sua vida será transformada por meio da linguagem dos céus.

1. PROCLAME PALAVRAS DE ESPERANÇA

Libere o pensamento positivo do "sim, eu posso"
por meio da confissão da palavra. Faça do ato de
memorizar e confessar a palavra uma prática diária.

Frequentemente, escutamos frases do tipo: "Como a vida é difícil!"; "Isso e aquilo vão acabar me matando"; "Estou cansado, não tenho forças para seguir adiante". É verdade que nossa realidade é difícil, e as circunstâncias nos impulsionam a dizer essas frases. Mas parece que a maioria das pessoas padece de uma enfermidade chamada "não posso". Ou seja, muitos amarram sua vida com palavras negativas.

A enfermidade do "não posso" é um vírus que leva o homem à morte mental. Esse tipo de pessoa jamais conseguirá conquistar alguma coisa.

Muitos de nós pensamos: Como é que a palavra pode ter tanta influência? Mas é assim. A morte e a vida estão em poder da língua.

Portanto, aquele que padece da enfermidade do "não posso" jamais poderá experimentar um milagre criativo. Deus não usa aqueles que dizem que não podem. Nunca conseguiremos sair do vale da aflição se continuarmos confessando que não podemos; isso é murmuração contra Deus.

Não devemos dizer "não posso". Como podemos dizer que não podemos se o Pai, que criou os céus e a Terra, Jesus, que levou o pecado, a enfermidade e a maldição na cruz, e o Espírito Santo, o Consolador, estão conosco? Por que você continua confessando que não pode superar o abismo da aflição e da adversidade? " 'Se podes?', disse Jesus. 'Tudo é possível àquele que crê' " (Marcos 9.23).

Devemos confessar que sim, é possível, todos os dias. Muitos me perguntam:

— Pastor Cho, qual é o segredo da dinâmica de seu ministério? Como consegue mover o mundo? Simplesmente lhes explico acerca da confissão criativa da Palavra.

Confesse, apesar de tudo

Quando fundei minha igreja junto com a pastora Choi, a Coreia era um dos países mais pobres do mundo. O desjejum, o almoço e o jantar eram raros, porque não havia o que comer. O melhor que alguém podia comer era batata.

Em número, a congregação crescia aceleradamente, mas as finanças da igreja não mostravam sintomas de melhoria. Apenas tínhamos dinheiro para alugar uma casa de dois ambientes, dos quais um era meu quarto, e o outro era para toda a família da pastora Choi Ja Sil. A preocupação era sempre a mesma: a comida. Não recebíamos ajuda de ninguém.

Um dia, a pastora Choi preparou cinco batatas, uma para cada integrante da família, pois não tinha dinheiro suficiente para comprar arroz. E tomávamos água da torneira. Eram dias em que todos guardávamos silêncio, e à noite íamos para a cama muito cedo. A pastora Choi costumava não dormir, orava com lágrimas durante toda a noite e se dirigia à igreja pela madrugada para orar em línguas. As batatas eram maravilhosas, mas era insuportável comer batatas três vezes por dia. Eu sentia que meu corpo se debilitava.

Foi em um desses dias que repentinamente senti como um manancial de fé que brotava dentro de mim. Senti que devia confessar com a boca a fé do Espírito Santo. Parei em frente ao espelho e, fazendo força com os punhos, disse, olhando para mim mesmo:

— Yonggi Cho, você não é pobre! Yonggi Cho, você é rico! Sua igreja vai crescer para mil membros no próximo ano. Yonggi Cho, você padecia de tuberculose, mas preste atenção agora: por acaso não está saudável? Yonggi Cho, sua fé move montanhas; para aquele que crê, tudo é possível.

De repente, senti que alguém me escutava; abri a porta, e era a pastora Choi. Senti vergonha de olhá-la fixamente nos olhos. Não obstante, o poder e a autoridade da confissão da palavra criou algo positivo e criativo, que resultou na igreja maior do mundo. Se eu tivesse ficado frustrado, dizendo que era impossível, que eu não era apto, teria me tornado um fracassado.

Ainda hoje, confessar tornou-se um hábito: "Eu posso, sou um homem bem-aventurado em Cristo, o êxito é meu", digo antes de ir para a cama. Ao levantar-me, volto a confessar: "O poder de Deus me dará a vitória". Deus unge com seu poder a confissão criativa de fé.

Mude sua linguagem. Apague o vocabulário do "não posso" de seu dicionário. E, em seu lugar, escreva: "É possível, voltarei a me levantar, apesar das circunstâncias". Livre-se dos jugos por meio da confissão da palavra e encha sua vida de palavras criativas e produtivas. Não cesse de confessar, porque Deus o revestirá da autoridade da palavra e fará um grande milagre em sua vida, transformará as circunstâncias de desesperança em circunstâncias positivas, sua vida será transformada, e sua nação será vivificada.

2. LIBERE SUA FÉ POR MEIO DA CONFISSÃO DA PALAVRA

A palavra é um elemento-chave na guerra espiritual. Libere sua fé por meio da confissão da palavra. Nunca deixe de confessar. As circunstâncias serão transformadas.

O pastor Stanley Jones, missionário na Índia, é famoso por sua fé positiva. Ele é um reconhecido escritor, missionário e evangelista. Jones viveu uma vida saudável até os 89 anos, quando passou a sofrer de paralisia. Durante meses, ficou paralítico, sem poder mover-se nem falar. Um dia, pediu à enfermeira que falasse por ele e dissesse: "Em nome de Jesus de Nazaré, levante-se e ande". Por causa da paralisia, pediu à enfermeira que fizesse a confissão de fé em seu lugar. Cada vez que a enfermeira vinha ver o pastor Jones, dizia: "Em nome de Jesus de Nazaré, levante-se e ande", e o pastor respondia: "Amém".

O povo zombava dessa confissão. Todavia, o pastor Jones sabia quão poderosa é a confissão com a boca. Um dia, acompanhado por algumas enfermeiras, dirigiu-se ao monte Himalaia e, com a ajuda delas, confessou: "Em nome de Jesus de Nazaré, levante-se e ande".

Em pouco tempo, Jones, já um ancião, foi curado completamente de sua paralisia. Esse é o poder da confissão da palavra. É necessário liberar a fé por meio da confissão com a boca. A enfermidade pertence à terceira dimensão, ao passo que a confissão pertence à quarta dimensão.

É fundamental confessar a palavra de fé e transmitir essa fé a outros, pois é essa confissão que transforma as trevas em luz, a morte em vida, o vazio em algo que existe. Agora você pode avaliar quão importante é conceber sonhos, orar por fé e confessar a palavra? A confissão da palavra é o que libera nossa fé, é o poder que causa uma transformação criativa em nossa vida.

Confesse sua fé com a boca

Devemos confessar com os lábios que somos salvos. Romanos 10.9,10 diz: "Se você confessar com a sua boca que Jesus é Senhor e crer em seu coração que Deus o ressuscitou dentre os mortos, será salvo. Pois com o coração se crê para justiça, e com a boca se confessa para salvação". Isso significa que a atitude de crer com o coração é suficiente para alcançar a salvação. Deve-se confessar: "Recebo Jesus Cristo como meu Salvador" para receber a salvação, porque é a palavra que produz o milagre criativo.

Mateus 10.32,33 diz: "Quem, pois, me confessar diante dos homens, eu também o confessarei diante do meu Pai que está nos céus. Mas aquele que me negar diante dos homens, eu também o negarei diante do meu Pai que está nos céus". Enfim, confessar e negar, a vida e a morte, estão em poder da língua.

Leia atentamente o testemunho de um dos membros de minha igreja. Há alguns anos, a irmã Jung desmaiou repentinamente. A princípio, pensou-se que se tratava apenas de um sintoma de gripe, mas ela acabou entrando em estado de coma. Conseguiu recuperar-se cerca de nove dias depois, mas os médicos detectaram um câncer linfático terminal.

Jung começou a arrepender-se de seus erros e do pecado e pediu a Deus que lhe desse uma nova oportunidade de servir-lhe. Os tratamentos químicos não deram resultado positivo, o que obrigou o médico a comunicar a situação à família, para que preparassem o funeral. Mas a irmã Jung não se deu por vencida. Escutava as mensagens em áudio e orava em atitude de arrependimento.

Foi em uma dessas pregações que ela ouviu o pastor dizer: "Onde está, ó morte, a sua vitória? Onde está, ó morte, o seu aguilhão?" (1Coríntios 15.55). Essa passagem impactou seu coração, e ela começou a entrar em guerra espiritual, confessando pela fé: "Isso mesmo! Onde está, ó morte, a sua vitória? Onde está, ó morte, o seu aguilhão? Fui curada em nome de Jesus Cristo. Venci a morte pelo sangue de Jesus. Ó morte, fora, em nome de Jesus".

Cada vez que a enfermeira ia aplicar-lhe uma injeção, Jung clamava: "Fui curada pelas chagas de Jesus!". Dias depois, ela recebeu minha oração em um evento evangelístico. Sentiu o calor do Espírito Santo que a curava e voltou ao hospital com grande alegria. Quando voltaram a fazer exames, os médicos não conseguiram detectar nenhum câncer e concordaram que se tratava de um milagre. Não só isso. Seu esposo incrédulo e toda a sua família receberam Jesus como Salvador.

A confissão da palavra é poderosa. O cristão se distingue do incrédulo porque pode fazer guerra contra a morte. O incrédulo, ao contrário, não conta com uma arma para contrapor-se à morte, como o cristão. Essa arma é nada menos que a Palavra de Deus. A Palavra é a espada do Espírito Santo. É por meio da Palavra que conseguimos vencer a batalha.

Ordene pela fé

Uma vez que tenha um pedido específico a fazer, é tempo de começar a orar: ordene por fé, sempre e quando Deus lhe der convicção da resposta à sua oração.

— Deus Pai! Obrigado por me haveres curado. Completa tua obra. Obrigado por tua cura. Minha família foi salva.

Agora é o momento de confessar o que não é como se fosse e ordenar ao monte.

— Monte, saia do lugar e atire-se ao mar!

— Enfermidade, fora!

— Incredulidade, saia!

— Maldição, vá embora!

— Pobreza, nunca mais!

Deus começa a trabalhar quando nós ordenamos pela fé. Deus disse: "Haja luz", e houve luz. "Haja o firmamento", e assim foi. "Ajuntem-se num só lugar as águas que estão debaixo do céu, e apareça a parte seca", e assim foi. "Cubra-se a terra de vegetação: plantas que deem sementes e árvores cujos frutos produzam sementes de acordo com as suas espécies", e assim foi.

O Senhor Jesus Cristo também cumpriu sua obra dando ordens com sua palavra:

— Seus pecados são perdoados. Tome o seu leito e vá para casa. Espírito imundo, saia. Lázaro, venha para fora!

Foi por meio da voz de comando que ocorreu o milagre criativo. O pedido não produz o milagre criativo. Portanto, uma vez que tenha concebido convicção de que sua oração foi respondida, você deve confessar o que não é como se fosse e ordenar:

— Enfermidade, fora!

— Minha família começará a congregar na igreja já!

— Haverá trabalho!

— A bênção vem!

— A glória chega!

Lembre-se de que pode haver uma diferença de tempo entre a fé e a manifestação do milagre. Se simplesmente conseguirmos crer, confessar e ordenar, superando a lacuna de tempo e espaço, o que confessarmos será feito.

Não se percebe à primeira vista, todavia vivemos lutando diariamente contra as forças demoníacas. Em 1Pedro 5.8,9, lemos:

> Estejam alertas e vigiem. O Diabo, o inimigo de vocês, anda ao redor como leão, rugindo e procurando a quem possa devorar. Resistam-lhe, permanecendo firmes na fé, sabendo que os irmãos que vocês têm em todo o mundo estão passando pelos mesmos sofrimentos.

Tal como afirma a Bíblia, o Diabo se encontra permanentemente buscando alguém a quem devorar. De nenhuma maneira, devemos nos deixar devorar pelo Diabo, porque Cristo, que pagou o preço de nossos pecados com seu sangue, está conosco. Não devemos retroceder, mas, sim, avançar proclamando a Palavra de Deus com nossos lábios.

3. CONFESSE PALAVRAS CRIATIVAS DE ÊXITO

*A palavra pode vivificar ou destruir a vida
do homem. Portanto, confesse palavras
que comovam o coração de quem as ouve
e que produzam grande alegria e êxito.*

Devemos procurar confessar palavras criativas que comovam o coração de quem as ouve e que produzam grande alegria e êxito. Porque, segundo o que temos dito, será feito.

Dr. Ziglar, famoso pela disciplina do pensamento positivo, cruzava o passeio subterrâneo em uma das avenidas da cidade de Nova York, quando viu um mendigo que, sentado em um degrau, vendia lápis. Como a maioria das pessoas, dr. Ziglar lançou uma nota de 1 dólar e seguiu indiferente. No mesmo instante, porém, voltou onde estava o mendigo e lhe disse:

— Quero que me dê o lápis em troca do dólar.

O mendigo não teve outra opção, a não ser dar-lhe o lápis. Dr. Ziglar recebeu o lápis e lhe disse:

— Você também é um empresário como eu. Não é um mendigo.

Tais palavras transformaram a vida desse homem. Dr. Ziglar lhe havia dito que ele não era um mendigo, mas um empresário que vendia lápis. As palavras dele ficaram marcadas no coração do mendigo, e este se converteu em um grande empresário.

— Não sou um mendigo, mas um empresário, um empresário que vende lápis.

A mudança do sonho, da autoimagem e da fé fez o homem se converter em um grande empresário. Após um tempo, ele foi ver o dr. Ziglar e lhe disse:

— Sua palavra mudou minha vida. A maioria das pessoas se restringia a me dar uma nota de 1 dólar e não lhe importava se eu lhe desse o lápis ou não. Cheguei a pensar que essa era minha vida e que eu era um mendigo. Mas você me disse que eu era um empresário. Essa palavra impactou meu coração e transformou minha vida.

A confissão da palavra é poderosa para transformar a vida de uma pessoa. A confissão da palavra também influencia os átomos da água. Emoto Masaru é um especialista em ondas e, em seu livro *The Hidden Messages in Water* [As mensagens secretas da água], esclarece que a água responde ao amor.

Por exemplo, se dizemos insultos, o cristal da água se deforma; a palavra "Diabo", quando é escrita, influencia o cristal da água: forma-se um buraco opaco, escuro, no núcleo. Em troca, palavras positivas como "obrigado" influenciam o cristal da água e formam um hexágono perfeito, enquanto a expressão "te amo" faz os átomos da água formarem o mais formoso cristal. Em poucas palavras, as ondas afetam os átomos da água de forma positiva ou negativa.

Dessa forma, a água revitaliza e se embeleza ao receber amor. Que dizer, então, do homem, cuja composição é 60% água? Se guardamos rancor, ódio e ira contra outras pessoas, os átomos da água do corpo formam um cristal disforme, o que causará diversas enfermidades. Se, pelo contrário, nos motivamos e amamos uns aos outros, os 60% de água do corpo formam um hexágono formoso, o que dará saúde e vitalidade.

Isso explica a inter-relação que existe entre o amor e a saúde física. Comece a falar palavras que vivifiquem os outros.

O justo deve ser precavido ao falar, deve usar palavras apropriadas, sábias e proveitosas, que vivifiquem os outros. A língua do justo é preciosa como a prata pura que não contém impurezas e, por aquilo que diz, guia os que ouvem seus conselhos pela vereda da vida. A palavra produz resultados.

4. FALE INTERPRETANDO A LINGUAGEM DO REINO DOS CÉUS

As palavras de amor e bênção transformam o homem
e as circunstâncias. O amor e a bênção é a linguagem
do Reino dos céus, e o Espírito Santo usa a língua
que a proclama ao produzir um milagre.

A linguagem que os jovens usam hoje é extravagante, a tal ponto que soa como um idioma estrangeiro. A linguagem que se fala nos bate-papos por computador ou nas mensagens de texto por telefones celulares é quase ininteligível, porque esse idioma é um conjunto de sinais mais que de palavras. Mas os jovens não têm problema para entender-se com seus pares, porque essa é a linguagem própria deles.

Palavras de amor e bênção

Existe uma linguagem que os cidadãos do Reino dos céus falam. É necessário que expressemos nossa identidade por meio da linguagem do Reino dos céus. O mundo não entende a linguagem do Reino, mas os cristãos a entendem. Todos nós devemos aprender a falar a linguagem do Reino, porque falar a linguagem do Reino significa viver sob a cultura do Reino. A língua domina todo o corpo, portanto de nossa linguagem dependem nosso corpo e as circunstâncias.

As palavras de amor e bênção transformam e afetam positivamente tanto o homem como as circunstâncias. Não devemos pronunciar palavras de murmuração e maldição sob nenhuma circunstância adversa; ao contrário, quanto mais adversas sejam as circunstâncias, mais devemos confessar palavras de amor e bênção, e o Espírito Santo usará nossa língua para produzir o milagre.

As palavras que saem de nossa boca dão forma à nossa vida. A confissão da boca dá forma às circunstâncias. É fundamental que sejamos cautelosos ao falar. O Espírito Santo desce sobre nós e nos faz falar em línguas. E isso produz um grande milagre, porque é o Espírito Santo mesmo quem fala por meio de nossos lábios. Devemos ser esse tipo de cristão que fala a linguagem do Reino dos céus, que fala segundo o Espírito orienta.

Palavras de fé e gratidão

Uma vida de murmuração, queixas e lamentos é uma vida que se dirige à destruição. A Bíblia afirma: "A quem tem será dado, e este terá em grande quantidade. De quem não tem, até o que tem lhe será tirado" (Mateus 13.12). Isso significa que, se dizemos que não temos, até mesmo o que temos nos será tirado. Mas, se pensamos que temos, e enaltecemos a Deus, Deus nos dará mais e em abundância.

Salmos 22.3 diz: "Porém tu és Santo, o que habitas entre os louvores de Israel" (ARC). Deus habita no meio dos louvores, e onde ele habita toda turbulência será retirada e nossa será a vitória.

É por essa razão que a Bíblia ensina: "Deem graças em todas as circunstâncias" (1 Tessalonicenses 5.18).

A confissão da palavra é sumamente importante, porque ela tem o poder de manifestar o que foi dito na realidade física. Portanto, devemos confessar nossos sonhos com grande intrepidez, aceitar o sonho do evangelho e o sonho de uma vida próspera mediante a visualização da cruz e confessar nossa fé com um alto grau de convicção.

— Pela fé em Cristo, fui perdoado e justificado.

— Pela fé em Cristo, o Diabo se afastou de minha vida, o Reino dos céus ficou mais próximo, e o Espírito Santo habita em mim.

— Pelo amor de Deus, fui curado de enfermidades, tanto emocionais como físicas.

A vida abundante junto a águas de repouso que se conquista mediante o evangelho da salvação e da prosperidade é possível quando conseguimos transformar nossa fé em realidade.

A fé é uma substância existencial que se manifesta quando entra em ação e é confessada. É aí que, apesar das adversidades, confessamos que Jesus Cristo levou todas as nossas aflições e por ele prosperaremos em todas as coisas, assim como prospera nossa alma, crendo na promessa do sangue da cruz. A prova, a aflição, a turbulência acontecem porque é por meio dessas adversidades que Deus modela nosso vaso, a fim de que contenhamos tudo o que ele preparou para nós. A aflição presente também é uma antecipação do galardão que haveremos de receber.

A palavra é o elemento da quarta dimensão que mais de perto está ligada à nossa vida cotidiana, já que a palavra é o que melhor reflete o sentido da realidade. É por meio da palavra que conhecemos a mentalidade, a fé e o sonho de uma pessoa. É por essa mesma razão que a palavra ocupa o quarto lugar dos quatro elementos da quarta dimensão.

A Bíblia ensina: "E caiu na armadilha das palavras que você mesmo disse, está prisioneiro do que falou" (Provérbios 6.2).

A palavra está à frente do juízo de Deus. Uma simples palavra é muito importante. O Senhor Jesus disse: "Mas eu lhes digo que, no dia do juízo, os homens haverão de dar conta de toda palavra inútil que tiverem falado. Pois por suas palavras vocês serão absolvidos, e por suas palavras serão condenados" (Mateus 12.36,37).

Deus julga o homem segundo o que seus lábios dizem; ou seja, a palavra é a chave que distingue o justo do ímpio. Deus escuta todas as nossas falas, conhece nossos monólogos e discerne nossos pensamentos mais íntimos. Nossos lábios devem ser lábios de bênção e, para isso, devem ter como fundamento a autoridade da Palavra de Deus.

Sua vida será transformada à medida que você confessa uma linguagem criativa baseada na fé.

LISTA DE VERIFICAÇÃO DO CAPÍTULO **b**

PALAVRA

1. Proclame palavras de esperança

Libere o pensamento positivo do "sim, eu posso" por meio da confissão da Palavra. Faça do ato de memorizar e confessar a Palavra uma prática diária.

2. Libere sua fé por meio da confissão da Palavra

A Palavra é um elemento-chave na guerra espiritual. Libere sua fé por meio da confissão da Palavra. Nunca deixe de confessar. As circunstâncias serão transformadas.

3. Confesse palavras criativas de êxito

A palavra pode vivificar ou destruir a vida do homem. Portanto, confesse palavras que comovam o coração de quem as ouve e que produzam grande alegria e êxito.

4. Fale interpretando a linguagem do Reino dos céus

As palavras de amor e bênção transformam o homem e as circunstâncias. O amor e a bênção é a linguagem do Reino dos céus, e o Espírito Santo usa a língua que o anuncia para produzir um milagre.

143

ANTES DE USAR ESTA AUTOAVALIAÇÃO:

- Esta autoavaliação é um forte elemento que o ajudará a aplicar os quatro elementos da quarta dimensão (mentalidade, fé, sonhos, palavra). Utilize-a uma vez que tenha completado toda a leitura do livro.

- Pratique um elemento por semana, não mais de um. Verifique suas ações todos os dias e marque o, _ ou x, de acordo com a avaliação.

- Você experimentará uma transformação maravilhosa em sua vida dentro do período de um a quatro meses.

o: Apliquei o elemento ao menos uma vez.

_: Tentei aplicá-lo, mas os resultados não foram satisfatórios.

x: Não consegui aplicá-lo.

Mude sua palavra

1. Confessei "eu posso fazer (   )", olhando-me no espelho.

   ➤ Confesse com a boca a seguinte frase: (seu nome), você pode fazer (   ) por (   ) vezes ao dia.

2. Confessei que Deus responderá às minhas orações.

   ➤ Enquanto lê a lista de seus pedidos, confesse um grande "amém" em cada pedido e aceite pela fé a resposta de Deus.

3. Mudei meu modo de falar.

   ➤ Determine não falar nunca mais palavras negativas como (   ), (   ).

4. Estimulei e abençoei mais de duas pessoas por meio da confissão da palavra.

➢ Estimule e abençoe ( ) e ( ) com suas próprias palavras.

SE VOCÊ TRANSFORMAR A PALAVRA DA QUARTA DIMENSÃO, SUA VIDA DA TERCEIRA DIMENSÃO SERÁ TRANSFORMADA!

PALAVRA

A língua tem poder sobre a vida e sobre a morte; os que gostam de usá-la comerão do seu fruto (Provérbios 18.21).

Semana — Conteúdo —

Dom Seg Ter Qua Qui Sex Sáb

1. Confessei "eu posso fazer ( )", olhando-me no espelho.
2. Confessei que Deus responderá às minhas orações.
3. Mudei meu modo de falar.
4. Estimulei e abençoei mais de duas pessoas por meio da confissão da palavra.

TENHA UM ENCONTRO COM DEUS POR MEIO DA DISCIPLINA

EPÍLOGO

DISCIPLINE A ESPIRITUALIDADE DA QUARTA DIMENSÃO

Pois a nossa luta não é contra seres humanos, mas contra os poderes e autoridades, contra os dominadores deste mundo de trevas, contra as forças espirituais do mal nas regiões celestiais (Efésios 6.12).

Vimos a espiritualidade da quarta dimensão que subjuga a vida da terceira dimensão e seus quatro elementos-chave (mentalidade, fé, sonhos, palavra) para transformar nossa quarta dimensão. Gostaria de saber sua opinião sobre o que aprendeu. Como está sua quarta dimensão?

Você está preparado para uma mudança espiritual? Ou sente que precisa dela, mas considera difícil aplicar esses princípios? Talvez pense: sinto-me bem como estou agora, não quero mudar.

Entretanto, o certo é que o mundo está mudando a uma velocidade incrível e que, diante disso, nossa vida é desafiada. Queremos permanecer quietos e tranquilos, mas o domínio do Diabo não deixa de nos ameaçar.

Diante de um desafio, muitos pensam: "Por que tenho de sofrer? Por que tenho de enfrentar esta adversidade, enquanto todo o mundo está em paz?". Ou seja, os diversos desafios da vida causam uma reação de nossa parte e, no caso de não superá-los, estaremos destinados a viver como escravos das circunstâncias.

Há alguns anos, enquanto dirigia uma cruzada nas Filipinas, recebi um convite por parte do presidente da nação. Um pouco preocupado, ele me disse:

— Pastor Cho, nossa nação está com sérios problemas. A falta de limites da cultura ocidental está causando uma grande crise moral entre os jovens de nosso país. O governo está indefeso perante isso. Temos implementado programas de esportes para melhorar a saúde mental dos jovens, mas esse é apenas um recurso provisório.

Ao ouvir essas palavras do presidente, eu disse:

— O esporte é bom para a saúde física, mas não para modificar a mentalidade do povo. A mudança de mentalidade só se consegue por meio do poder do sangue de Jesus Cristo, que ressuscitou dentre os mortos, e da autoridade do Espírito Santo. O único caminho para fortalecer a moral dos jovens e do povo é que creiam em Jesus e recebam o Espírito Santo. Meu conselho é que o senhor mesmo inicie um movimento de fé envolvendo toda a nação.

Se você quer desfazer-se das teias de aranha de uma vez por todas, não deve somente retirar as teias de aranha, mas também matar a aranha. A lei e o regime não conseguem transformar uma sociedade; deve haver uma mudança radical de mentalidade. É necessário que iniciemos uma mudança, mas a partir de uma perspectiva distinta. O homem atua segundo a influência de sua mente; a mudança de mentalidade é fundamental.

ENCARE OS PROBLEMAS DA VIDA COM A ESPIRITUALIDADE DA QUARTA DIMENSÃO

O cristão observa e encara os problemas da vida de uma perspectiva diferente, já que os vê com os olhos espirituais. Preste atenção em José. Foi vendido por seus irmãos e levado ao Egito como escravo. Do ponto de vista tridimensional, a vida de José se caracteriza pela desesperança absoluta.

Caso José tivesse encarado sua situação de uma perspectiva tridimensional, teria vivido afundado no rancor, na ira, na nostalgia e na vingança. No entanto, enfrentou a situação de uma perspectiva tetradimensional. O período de aflição da vida de José é, do ponto de vista da quarta dimensão, um caminho revestido de ouro, amor, prosperidade e salvação.

Estaremos destinados a fracassar se enfrentarmos os problemas da vida com base no ponto de vista tridimensional. A vida cristã guiada pelos sentidos e baseada no intelecto sofrerá muitas dificuldades. Se começarmos a vida cristã com os desejos da carne, os desejos dos olhos, a vanglória da vida, o intelecto carnal, a experiência e o conhecimento humano que pertencem à terceira dimensão, perderemos a batalha contra o domínio das trevas, visto que tais elementos não provêm de Deus.

Por intermédio da Palavra de Deus e da direção do Espírito Santo, podemos adquirir conhecimento sobre o mundo da quarta dimensão. O Diabo busca a quem devorar. Seremos devorados pelo Diabo se deixarmos de lado a Palavra de Deus e a direção do Espírito Santo e cairmos na polêmica e no conflito humano, porque só com a arma da quarta dimensão poderemos vencer o mundo da terceira dimensão. Não há outra saída. Nossa vida tridimensional dependerá de como encaramos e vencemos os diversos problemas da vida da terceira dimensão.

A chave está em transformar o mundo da quarta dimensão, porque é por meio dessa transformação que nossa vida tridimensional será modificada.

Nesse sentido, a espiritualidade da quarta dimensão é uma grande bênção que Deus nos deu. Para obter uma mudança em nossa vida, basta conseguirmos transformar os quatro elementos-chave (mentalidade, fé, sonhos, palavra) do mundo da quarta dimensão.

Aqueles que não conhecem Deus também alcançam suas metas por meio de convicção, pensamento positivo, confissão de fé e sonho produtivo. Isso se deve ao fato de os elementos da quarta dimensão serem uma lei universal.

Existe, entretanto, uma limitação: os milagres se manifestam quando a terceira dimensão é movida pela oração, pela Palavra e pelo Espírito Santo.

Vimos especificamente como termina esse processo de transformação. Estou convencido de que o leitor já o aplicou durante a leitura deste livro. É importante continuar praticando e não se conformar em aplicá-lo duas ou três vezes. Meu desejo é que a espiritualidade da quarta dimensão lance profundas raízes em sua vida e que você faça disso um hábito espiritual. Não será fácil. Mas não desista, aceite o desafio. Você pode, com a ajuda do Espírito Santo.

A transformação da quarta dimensão se consegue por meio da guerra espiritual

O homem é um ser vulnerável. Não é fácil transformar a quarta dimensão por si só. Por mais que tentemos pensar positivamente, para nós é impossível manter certo nível de pensamento, já que o nível de emoção é instável. Além disso, existe a influência dos fatores externos. A tentação do mundo e o ataque do Diabo fazem nossa vontade se desvanecer em questão de segundos. O poder das trevas ataca nossa vontade, porque transformar a quarta dimensão significa transformar a dimensão espiritual. Em poucas palavras, trata-se de uma guerra espiritual.

> Pois a nossa luta não é contra seres humanos, mas contra os poderes e autoridades, contra os dominadores deste mundo de trevas, contra as forças espirituais do mal nas regiões celestiais (Efésios 6.12).

Os problemas da vida são problemas espirituais, ou seja, trata-se de uma guerra espiritual. E devemos ser os vencedores nessa batalha. Isso se consegue por meio da disciplina espiritual, que consiste em transformar os quatro elementos da quarta dimensão segundo a vontade de Deus e receber Deus como nosso Senhor.

Existem três formas de disciplina: oração, Palavra de Deus e Espírito Santo.

ORAÇÃO

Primeiramente, necessitamos disciplinar-nos na oração. Sem oração, não há obra do Espírito Santo e, sem obra do Espírito Santo, não há espiritualidade. O desenvolvimento da espiritualidade interna se consegue por meio da oração. Por isso, a oração é fundamental. Pessoalmente, estou sempre me disciplinando nessa área. A oração em si é minha vida. Gostaria de apresentar-lhe como desafio alguns métodos de disciplina de oração.

Em primeiro lugar, *a oração diária*, que implica escrever metas e planos na agenda, em oração. Antes de começar o dia, faço uma oração que chamo "vacina preventiva". Isso é para a vitória espiritual da jornada.

Em segundo lugar, *a oração pré-ministerial*, que costumo usar antes de pregar ou ministrar. Minha observação é que a oração é o ministério do homem em direção a Deus. Frequentemente, me encontro aconselhando meus discípulos: "Ministre a Deus, antes de ministrar ao povo. É importante ministrar a Deus mediante a oração, antes de ministrar ao povo mediante a pregação".

Em terceiro lugar, *a oração de fé*. Minha ênfase é que a oração de fé, ou seja, a oração livre de toda dúvida, é muito importante. Para realizar esse modelo de oração, você necessita crer no Deus bom, ter uma meta clara, confessar sua fé positivamente, esperar um milagre e visualizar por fé.

Em quarto lugar, *a oração que ordena*. A oração de fé deve ser acompanhada pela confissão de fé. Isso significa fazer uso da autoridade que Deus deu a cada cristão. A oração com autoridade é muito eficiente para subjugar todas as coisas, criar milagres e resistir ao Diabo.

Em quinto lugar, *a oração comunitária*. Quero dar um destaque especial ao jejum e à oração em uníssono. O jejum é buscar Deus de todo o coração sem comer nem beber. A oração em uníssono é um modelo de oração poderosa, que enriquece a concentração da oração; ela é eficaz para a disciplina e atrai a resposta de Deus. Também é eficaz quando o grupo ora pelo bem do grupo, da igreja e dos líderes.

Existem outros modelos de oração. Tenho aconselhado diferentes modelos de oração que atraem a presença de Deus e ajudam a oferecer resistência ao Diabo. O Pai-nosso, o louvor e o discernimento de espíritos são alguns dos modelos que nos levam a uma dimensão mais profunda do mundo da oração. Também gostaria de destacar a importância da oração em línguas. A oração em línguas, sob a inspiração do Espírito Santo, ajuda-nos a superar as próprias limitações e a experimentar a profundidade da graça e da presença de Deus.

Por meio da oração, você pode, com a autoridade do Espírito Santo, transformar sua maneira de pensar, sonhar, ter fé e falar.

A PALAVRA DE DEUS

A Palavra de Deus é o pensamento e a vontade de Deus. Nossa mentalidade e nossa linguagem devem ser moldadas pela Bíblia, a Palavra do Espírito Santo vivente. Podemos desenvolver nossa quarta dimensão por meio da memorização e da confissão da Palavra. Os leigos experimentam o mundo da quarta dimensão por meio da pregação. O rumo da vida de um cristão varia segundo ele busque ou não a orientação da Palavra de Deus.

A Palavra de Deus deve ser experimentada na vida do cristão. A Bíblia é a Palavra de Deus, mas, se não experimentamos o poder e a obra de Deus em nossa vida, a Palavra de nada serve. Faço uso de pelo menos 20 versículos bíblicos em meus sermões dominicais. E exorto a meus membros que leiam, memorizem, estudem e pratiquem a Palavra. Não tenho dúvida de que a mentalidade, a fé, os sonhos e a palavra devem ser inspirados pela Palavra de Deus. Minha oração é que, mediante a leitura, a meditação e a memorização, sua espiritualidade da quarta dimensão cresça.

O ESPÍRITO SANTO

Todos nós precisamos nos disciplinar em experimentar o Espírito Santo, especialmente nos três níveis seguintes.

Em primeiro lugar, *nível de comunhão*. No princípio de meu ministério, não entendia muito sobre o Espírito Santo como pessoa. Em 1964, enquanto orava pelo crescimento de minha igreja em uma reunião matutina, ouvi a voz do Espírito Santo, que me dizia: "Você me conhece como uma mera experiência. Mas o Espírito Santo é uma pessoa, e uma pessoa não se conhece só por experiência. Você deve reconhecer, dar as boas-vindas e aceitar o Espírito Santo como uma pessoa".

Depois dessa experiência, comecei a ter uma comunhão íntima com o Espírito Santo e a experimentar a maravilhosa graça de Deus.

Em segundo lugar, *nível de sociedade*. A comunhão com o Espírito Santo manifesta o poder e a obra de Deus. O êxito e o fracasso dependem de trabalhar ou não em sociedade com o Espírito Santo.

Em terceiro lugar, *nível de unidade*. Esse nível implica ter comunhão, trabalhar em sociedade com o Espírito Santo, ser um com o Espírito Santo. O resultado da unidade com o Espírito Santo é a plenitude do Espírito Santo.

A plenitude do Espírito Santo nos faz sonhadores que sonham não em viver para si mesmos, mas em viver para testificar de Cristo a todas as nações. O Espírito Santo começa movendo nossa terceira dimensão e vai levando-nos à quarta dimensão, a qual produz uma transformação criativa em nossa vida.

ESPERE O MILAGRE DE DEUS E EXPERIMENTE-O

A quarta dimensão é o canal onde a obra de Deus se encontra conosco, seu povo. Por meio da espiritualidade da quarta dimensão, podemos experimentar a transformação de nossa terceira dimensão. Podemos modificar a mentalidade, a fé, os sonhos e a palavra por meio da oração e da Palavra de Deus. E o Espírito Santo muda o rumo de nosso destino e nos ajuda a cumprir nosso chamado.

Recebi a visão do Espírito Santo por meio da espiritualidade da quarta dimensão. A fé vem com a visão, e a visão vem com a autoridade espiritual; essa tem sido a força motriz do crescimento da Igreja do Evangelho Pleno de Yoido. O milagre é uma grande obra de Deus. Tenho experimentado muitíssimos milagres ao longo de todo o meu ministério, a tal ponto que os milagres que ocorrem em minha igreja — nova vida, solução de problemas, cura de doenças — são como manifestações naturais.

Minha congregação crê com firmeza que o Deus todo-poderoso a protege, soluciona os problemas da vida e opera grandes milagres.

Sonhe em alcançar a vitória, por mais que as circunstâncias se mostrem adversas.

Temos esse privilégio pela graça de Jesus Cristo, e podemos sonhar com vida em vez de morte, vitória em vez de derrota, saúde em vez de enfermidade, êxito em vez de fracasso. Apegue-se ao versículo que diz: "Abra a sua boca, e eu o alimentarei" (Salmos 81.10) e comece a sonhar grande. Os sonhos são a linguagem do Espírito Santo, são a evidência de que o Espírito Santo está com você. Você alcançará a vitória ao pensar, sonhar e confessar positiva, ativa e produtivamente.

Confesse a vitória espiritual em sua vida. Comece a encarar os problemas da vida com os quatro elementos da quarta dimensão. E não deixe de se disciplinar a fim de conquistar a vitória na guerra espiritual. Mediante a disciplina da oração, a Palavra de

Deus e o Espírito Santo, a espiritualidade da quarta dimensão não será uma experiência momentânea, mas um hábito espiritual. E você continuará notando a mudança, experimentará um grande milagre de Deus e se converterá em um conquistador dos sonhos de Deus.

Abençoo-o em nome do Senhor, para que possa experimentar a maravilhosa graça e o milagre de Deus em sua vida.

ANTES DE USAR ESTA AUTOAVALIAÇÃO:

Esta autoavaliação é um forte elemento que o ajudará a aplicar os quatro elementos da quarta dimensão (mentalidade, fé, sonhos, palavra). Utilize-a uma vez que tenha lido todo o livro.

- Pratique um elemento por semana, não mais de um. Verifique suas ações todos os dias e marque o, _ ou x, de acordo com a avaliação.

- Você experimentará uma transformação maravilhosa em sua vida dentro do período de um a quatro meses.

o: Apliquei o elemento ao menos uma vez.

_: Tentei aplicá-lo, mas os resultados não foram satisfatórios.

x: Não consegui aplicá-lo.

- Esta autoavaliação foi projetada para quatro meses. Depois de passado o período mencionado, você deve reiniciar o ciclo.

REGRAS BÁSICAS PARA USAR ESTA AUTOAVALIAÇÃO:

MUDE SUA MENTALIDADE

1. Comecei o dia meditando em Deus.

   ➢ Comece o dia meditando em ( ) versículos e orando ( ) minutos.

2. Procurei ver o lado positivo mais que o lado negativo de meus afazeres diários.

   ➢ Pense que elementos ( ), ( ) positivos seus afazeres diários contêm.

3. Orei concentrando-me nos elementos negativos (temor, ira etc.).

   ➢ Ore pelos elementos negativos, tais como o temor, a ira, ( ), ( ) etc.

4. Tenho pensado que sou uma pessoa que usufrui da salvação e da bênção de Deus.

   ➢ Confesse com a boca que (seu nome) é um/uma filho/a de Deus ( ) vezes.

MUDE SUA FÉ

1. Separei um tempo para ler a Palavra e orar.

   ➢ Esforce-se em ler pelo menos ( ) capítulos e orar ( ) minutos por dia.

2. Orei concentrando-me naqueles pedidos em que não tenho tido convicção.

> Escreva em uma folha de papel seus pedidos e ore concentrando-se naqueles pedidos em que não tem tido convicção.

3. Confiei a Deus todo tipo de ansiedade.

> Determine não guardar nenhum tipo de ansiedade, ( ), ( ), ( ) etc.

4. Tive comunhão minimamente com um/a irmão/ã na fé.

> Converse sobre a fé por meio de um encontro, um telefonema ou um *e-mail* com um/a irmão/ã na fé.

MUDE SEUS SONHOS

1. Espero que Deus me mostre coisas grandes e ocultas.

> Escreva em uma folha de papel os sonhos ( ), ( ) que Deus tem para você.

2. Escrevi minhas metas e as tenho lido várias vezes.

> Escreva suas metas especificamente e leia-as em voz alta ( ) vezes por dia.

3. Cri na realização de meu sonho e tenho trabalhado para alcançá-lo.

> Separe ( ) horas diárias exclusivamente para se dedicar à realização de seu sonho.

4. Examinei minha esperança e tenho dado graças ao Senhor.

> Dê graças ao Senhor e nunca perca o sonho da esperança.

MUDE SUA PALAVRA

1. Confessei "eu posso fazer ( )", olhando-me no espelho.

➤ Confesse com a boca a seguinte frase: (seu nome), você pode fazer ( ) ( ) vezes por dia.

2. Confessei que Deus responderá às minhas orações.

➤ Enquanto você lê a lista de seus pedidos, confesse um grande "amém" em cada pedido e aceite pela fé a resposta de Deus.

3. Tentei modificar meu hábito de falar.

➤ Determine não falar nunca mais palavras negativas como ( ), ( ).

4. Estimulei e abençoei mais de duas pessoas por meio da confissão da palavra.

➤ Estimule e abençoe ( ) e ( ) com suas próprias palavras.

Autoavaliação da espiritualidade da quarta dimensão

Primeiro mês – Início da prática __/__/__

Se você transformar a mentalidade da quarta dimensão, sua vida da terceira dimensão será transformada!

MENTALIDADE

A mentalidade da carne é morte, mas a mentalidade do Espírito é vida e paz (Romanos 8.6).

Semana – Conteúdo – Dom Seg Ter Qua Qui Sex Sáb

1. Comecei o dia meditando em Deus.

2. Procurei ver o lado positivo mais que o lado negativo de meus afazeres diários.

3. Orei concentrando-me nos elementos negativos (temor, ira etc.)

4. Tenho pensado que sou uma pessoa que usufrui da salvação e da bênção de Deus.

Autoavaliação da espiritualidade da quarta dimensão

Segundo mês – Início da prática __/__/__

Se você transformar a fé da quarta dimensão, sua vida da terceira dimensão será transformada!

FÉ

"Se podes?" disse Jesus. "Tudo é possível àquele que crê" (Marcos 9.23).

Semana – Conteúdo – Dom Seg Ter Qua Qui Sex Sáb

1. Separei um tempo para ler a Palavra e orar.

2. Orei concentrando-me naqueles pedidos em que não tenho tido convicção.

3. Confiei a Deus todo tipo de ansiedade.

4. Tive comunhão minimamente com um/a irmão/ã na fé.

Autoavaliação da espiritualidade da quarta dimensão

Terceiro mês – Início da prática __/__/__

Se você transformar os sonhos da quarta dimensão, sua vida da terceira dimensão será transformada!

SONHOS

Onde não há revelação divina, o povo se desvia; mas como é feliz quem obedece à lei! (Provérbios 29.18).

Semana – Conteúdo – Dom Seg Ter Qua Qui Sex Sáb

1. Tenho esperado que Deus me mostre coisas grandes e ocultas.

2. Escrevi minhas metas e as tenho lido várias vezes.

3. Cri na realização de meu sonho e tenho trabalhado para alcançá-lo.

4. Examinei minha esperança e tenho dado muitas graças ao Senhor.

Autoavaliação da espiritualidade da quarta dimensão

Quarto mês – Início da prática __/__/__

Se você transformar a palavra da quarta dimensão, sua vida da terceira dimensão será transformada!

PALAVRA

"A língua tem poder sobre a vida e sobre a morte; os que gostam de usá-la comerão do seu fruto" (Provérbios 18.21).

Semana – Conteúdo – Dom Seg Ter Qua Qui Sex Sáb

1. Confessei "eu posso fazer ( )", olhando-me no espelho.

2. Confessei que Deus responderá às minhas orações.

3. Tentei modificar meu hábito de falar.

4. Estimulei e abençoei mais de duas pessoas por meio da confissão da palavra.

Esta obra foi composta em *Agaramond*
e impressa por Gráfica Expressão e Arte sobre papel
Pólen Bold 90 g/m^2 para Editora Vida.